DU MÊME AUTEUR

Aux Éditions Gallimard

FEMMES, *roman*, 1983 (Folio n° 1620).

PORTRAIT DU JOUEUR, *roman*, 1985 (Folio n° 1786).

THÉORIE DES EXCEPTIONS, 1986 (Folio Essais n° 28).

PARADIS II, *roman*, 1986 (Folio n° 2759).

LE CŒUR ABSOLU, *roman*, 1987 (Folio n° 2013).

LES FOLIES FRANÇAISES, *roman*, 1988 (Folio n° 2201).

LE LYS D'OR, *roman*, 1989 (Folio n° 2279).

LA FÊTE À VENISE, *roman*, 1991 (Folio n° 2463).

IMPROVISATIONS, *essai*, 1991 (Folio Essais n° 165).

LE RIRE DE ROME. Entretiens avec Frans De Haes, 1992 (L'Infini).

LE SECRET, *roman*, 1992 (Folio n° 2687).

LA GUERRE DU GOÛT, *essai*, 1994 (Folio n° 2880).

SADE CONTRE L'ÊTRE SUPRÊME *précédé de* SADE DANS LE TEMPS (Quai Voltaire, 1989) 1996 (Folio n° 5841).

STUDIO, *roman*, 1997 (Folio n° 3168).

PASSION FIXE, *roman*, 2000 (Folio n° 3566).

ÉLOGE DE L'INFINI, *essai*, 2001 (Folio n° 3806).

LIBERTÉ DU XVIIIᵉ, *textes extraits de* La Guerre du Goût, 2002 (Folio 2 € n° 3756).

L'ÉTOILE DES AMANTS, *roman*, 2002 (Folio n° 4120).

POKER. Entretiens avec la revue *Ligne de risque*, 2005 (L'Infini).

UNE VIE DIVINE, *roman*, 2006 (Folio n° 4533).

LES VOYAGEURS DU TEMPS, *roman*, 2009 (Folio n° 5182).

DISCOURS PARFAIT, *essai*, 2010 (Folio n° 5344).

TRÉSOR D'AMOUR, *roman*, 2011 (Folio n° 5485).

L'ÉCLAIRCIE, *roman*, 2012 (Folio n° 5605).

FUGUES, *essai*, 2012 (Folio n° 5697).

MÉDIUM, *roman*, 2014 (Folio n° 5993).

Suite des œuvres de Philippe Sollers en fin de volume

CENTRE

PHILIPPE SOLLERS

CENTRE

roman

GALLIMARD

*Il a été tiré de l'édition originale de cet ouvrage
quarante exemplaires sur vélin rivoli
des papeteries Arjowiggins numérotés de 1 à 40.*

« On saute du néant à l'être,
et de l'être au néant,
sans qu'il y ait ni fin ni commencement,
personne ne sait d'où il est éclos. »

HUAINAN ZI

TOURBILLON

C'est maintenant l'œil du cyclone, au centre du tourbillon. Tout est d'un calme si extraordinaire que je n'ai
plus rien à comprendre. Quelques phrases d'autrefois
traînent encore, mais elles ne s'inscrivent pas, ma main
les refuse. La seule vraie couleur est le blanc.

La réalité n'en est pas moins là, mais comme vapori-
sée de silence. Comme d'habitude je suis assis à mon
bureau, sauf qu'il est une heure de plus que je croyais,
j'ai donc dû dormir un peu sans m'en rendre compte.
Je m'éveille, je réponds à Nora au téléphone de façon
normale. Je n'ai pas eu le temps de chercher le détail
qu'elle voulait vérifier. Lequel, déjà? Ah oui, l'entou-
rage de Shakespeare au moment où il écrit *Le marchand
de Venise*. Et puis cette question pour rire : Othello, le
Maure, était-il musulman, et le traître Iago, juif?

Nora est psychanalyste, très marquée par les figures
de Freud et de Lacan. Elle doit faire bientôt une

conférence à Buenos Aires, petit paradis freudien, et on lui demande un truc sur Shakespeare. Inévitablement, la question de son antisémitisme et de son racisme se pose. Est-ce une bonne question ? Oui, puisqu'elle fait parler les colloques et les associations. Le mot « ghetto » n'est-il pas d'origine vénitienne ? Le Maure jaloux criminel, abusé par un hyper-jaloux, n'était-il pas noir ? L'homosexualité des personnages masculins n'est-elle pas la clé du problème ?

Tout cela m'assomme, mais j'aime Nora. Il paraît que c'est une excellente praticienne. Je n'en doute pas. Comme on dit dans le jargon psy, elle a « du dos », et, bien entendu, « la troisième oreille ». Cette petite brune de 40 ans, aux yeux bleus, a une très jolie voix, posée, mélodieuse, une voix vivante qui sait se taire quand il faut. Elle est beaucoup plus intelligente que ses collègues. Elle prend plutôt cher pour celles et ceux qui ont les moyens, mais peut descendre ses prix pour des cas qu'elle juge intéressants dans ses entretiens préliminaires.

Ses présentations de malades, à Sainte-Anne, sont très appréciées, et les étudiants l'adorent. Évidemment, je n'y assiste jamais. Pour le reste des apparences, c'est une belle bourgeoise sympathique, discrète, qu'on pressent systématiquement indulgente. Sa fortune est difficile à évaluer, mais elle vit dans un grand appartement clair du septième arrondissement de Paris. Elle a eu un grand-père très célèbre, mort en 1990 à

New York, le chef d'orchestre et compositeur Leonard Bernstein, mais sa mère est française, et elle est née à Paris. Elle écoute peu de musique. Freud et Lacan ne s'y intéressaient pas. Elle s'étonne de voir chez moi des montagnes de disques.

Nora m'admet comme amant, mais n'a aucune envie de vivre avec moi. Elle est divorcée, a deux enfants, sa vie sociale est bouclée, c'est le rêve. Elle vient chez moi pour l'amour, c'est elle qui fixe les rendez-vous, j'ai le divan élargi qu'il faut, elle sait pourquoi et comment elle jouit, c'est rare, et encore le rêve. La science des rêves existe, il faut la réinventer. Je n'ai jamais eu l'idée de m'allonger pour raconter mon existence, mais elle entend mon enfance, et j'entends la sienne. C'est inné.

Il y a dix ans, un cercle de psychanalystes m'a invité à parler. Elle était là, et, d'instinct, on a continué par un verre en tête à tête. La suite a été un rêve, et un rêve qui dure, c'est quand même spécial.

PAROLE

Vous êtes un corps parlant, vous rêvez, vous ne savez pas vraiment ce que vous dites, des nappes d'oubli vivent à vos dépens. Allongez-vous, racontez-moi ce qui vous passe par la tête. Je me tais, ou j'interviens très brièvement. N'oubliez pas d'arriver à l'heure, et, à la fin de la séance, de me payer rubis sur l'ongle. C'est capital.

Vous êtes fou ou vous êtes folle, mais tout vous interdit d'en prendre conscience. Vous-même, vous évitez d'en savoir trop long à ce sujet. On va vous le démontrer *raisonnablement*. Voilà ce que se dit Nora, qui a vécu sa propre saison en enfer. Donnez-moi vos phrases, je vais essayer de vous tirer de votre bourbier infantile. J'écoute, la société déborde et bavarde, j'attends l'occasion.

Nora parle mieux français que la plupart des Français, mais elle parle aussi couramment anglais, allemand, russe et hébreu. Elle se débrouille en espagnol et en italien, peut saisir le portugais, et est de plus en plus à l'aise en chinois. C'est le don des langues personnalisé, adapté à une clientèle internationale. Elle trouve que l'analyse passe mieux en français, à cause de son histoire et de sa culture. Il fallait un juif viennois pour entendre l'allemand autrement, et un aventurier français pour jouer au fond des psychoses. Les patients indiens ou arabes se font attendre, les Chinois sont, de loin, les plus prometteurs.

Nora ne me parle pas de ses cas, sauf énormité significative, venant, la plupart du temps, de sa clientèle gay. Elle s'étonne qu'en tant qu'écrivain je n'aie aucun préjugé contre l'analyse, *au contraire*. Je pense qu'elle pourrait décourager le flot consternant des « rentrées littéraires » et les éloges dithyrambiques sur des pavés illisibles, décrétés « bouleversants », « stupéfiants », « miraculeux ». Cela dit, Nora aime bien la vraie littérature, surtout Kafka et Dostoïevski. Étrangement, pas de Bible à l'horizon. Mais Freud, toujours Freud.

Nora est la discrétion même. J'imagine qu'elle doit écouter des écrivains ou des écrivaines en panne, des journalistes stressés, des intellos déprimés, des acteurs et actrices en souffrance, mais aussi des hommes d'affaires effarés, des politiques perdus, des médecins ou des avocats surmenés, des femmes au foyer séquestrées. Combien de secrets s'évaporent dans son cabinet calfeutré ! Combien de douleurs derrière la pub et la mode !

Dans la conversation, Nora ne commente jamais. Elle souligne, elle accentue, elle rebondit, elle questionne. Son « vous croyez ? » est redoutable. Elle tient à signifier qu'elle n'est pas d'accord, ou que quelque chose de plus élaboré pourrait être dit. Elle enchaîne vite, histoire de provoquer un doute de ma part, elle est à la fois soucieuse et ravie que je ne doute jamais. Dès le premier échange, le ton était donné : « Vous ne doutez jamais de rien ? » Elle y revient de temps en temps, sans aucun espoir. Je ne doute jamais, c'est un fait.

J'habite tout près de chez elle, c'est commode. Sur l'actualité, ses jugements sont sévères, et j'aime leur mordant sans appel. Après l'amour, conversation légère, comme si rien ne s'était passé. « Vous croyez ? »

Sur son divan, Nora en entend de toutes les couleurs. Détails organiques, gynécologiques, scatologiques, angoisses, rêves de mort, projections de haine et d'amour, pathologies latérales, transferts d'illusion. Le plus difficile à régler est le contre-transfert, mais l'augmentation du prix à payer peut être une solution. Elle obtient, à la longue, des grossesses très convenables, elle absout les frénésies périodiques, puisque, de toute façon, *le problème n'est pas là*. Tout cela s'adresse en général à la mère, qui, elle-même, dissimule un père écrasant, fantôme ou fantoche. À la recherche du père perdu.

Une femme mariée, avec deux enfants, a un amant. Elle est prête à divorcer si l'amant quitte lui-même sa femme et ses quatre enfants pour l'épouser et lui faire un troisième enfant. Une lesbienne veut absolument un enfant, et souhaite une procréation médicalement assistée grâce à la substance d'un ami gay. Elle est prête à aller jusqu'à la gestation pour autrui, elle sait où s'adresser pour ce genre de service. Un gay, avec une bonne situation dans le numérique, a un amant moins riche qui veut l'épouser, parce qu'il en a marre de se faire sodomiser. Vous imaginez toutes les embrouilles, les ruses, les échappatoires, les scènes de ménage, le chantage permanent, les fausses réconciliations, les graves blessures narcissiques dans l'océan du ressentiment.

Je passe sur les pensions alimentaires, les querelles d'appartements, les adoptions exotiques risquées, les crémations émouvantes avec discours et musique enregistrée au funérarium. Toutes ces existences, réduites en cendres, se retrouvent dans une urne posée dans le coffre-fort d'une voiture qui roule vers le lieu prévu pour la dispersion. Beaucoup choisissent l'eau, la Seine a ses stars. La vieille inhumation, avec curé et perspective résurrectionnelle, n'a plus cours. On entasse des fleurs au four crématoire, et puis on les jette. Des *couronnes* se dissipent en fumée, avec des rubans d'amour.

Il y a, dans la Bible, un passage particulièrement poivré du *Livre des Rois*. Le terme « philistin », venu de l'hébreu pour désigner un adversaire implacable d'Israël, a été curieusement adopté par l'argot des étudiants allemands (Marx l'emploie très souvent). Il désigne un individu à l'esprit vulgaire, fermé à la littérature, à l'art, aux nouveautés. C'est le bourgeois stupide, repu et réactionnaire. L'autre mot qui a la même signification, en ajoutant le manque de goût, est « béotien ». Chaque région terrestre a ainsi, en elle, des ennemis ou des imbéciles. On pourrait multiplier les exemples, de pays en pays, de ville en ville, de village en village.

Les Philistins antiques étaient redoutables, et battaient assez souvent les Hébreux, s'emparant parfois, sacrilège suprême, de l'Arche d'Alliance contenant les tables écrites par Dieu pour Moïse. Ce sont les incirconcis par excellence, les impurs parmi les impurs, et le jeune David va en tuer pas mal dans des circonstances étranges. Saül, qui est souvent possédé par un mauvais esprit de Dieu, est en général calmé par David qui lui joue un air de cithare. Mais rien n'y fait : à plusieurs reprises, le possédé Saül, qui adore et déteste son jeune musicien, essaie de le clouer au mur avec sa lance. La musique le calme, mais le rend fou. David esquive, mais ce jeu pervers ne peut plus durer.

Saül a une idée : il va marier David à une de ses filles, Mikal. Pour prix de ce mariage (car l'heureux élu doit rétribuer le père pour obtenir la fille), Saül lui fixe le montant de la transaction : 100 prépuces de Philistins. Au cours de la bataille, David devrait être tué, mais non, il revient victorieux, avec 200 prépuces. On voit la scène : le futur gendre compte les 200 pièces de chair sous le nez ahuri de son beau-père. Voilà un troc du plus bel effet : Mikal est à lui, il a gagné.

L'admirable auteur des *Psaumes*, père de Salomon, est un drôle de type. Pourquoi la belle Bethsabée vient-elle se baigner nue devant sa terrasse ? Le résultat est foudroyant : David s'empare d'elle, et envoie son mari, le Hittite Urie, se faire tuer au combat. Énorme péché, repentance avec tête couverte de cendres, absolution de Dieu, et tout va bien.

C'est un fervent de Dieu, ce David, un frondeur virtuose, vainqueur, dans sa jeunesse, du géant Goliath. Il est musicien, il chante, il danse. Quand l'Arche d'Alliance est en mouvement, il tournoie autour d'elle, et, comme il porte un pagne, dévoile ainsi sa « pudeur ». Sa femme, Mikal, n'est pas contente, d'autant plus que ses servantes ont pu lorgner le sexe de son mari. Elle l'engueule, il se fâche, elle ne comprend rien au secret sacré de la danse divine. Sanction sévère : elle n'aura pas d'enfant jusqu'à sa mort. Moralité : elle ne vaut plus un prépuce.

Je raconte ce genre de truc à Nora, la Bible en est pleine. Elle en a entendu parler, mais vaguement. La circoncision religieuse juive est une cérémonie étonnante, et qui ne l'a pas vue n'a rien vu. La voracité avec laquelle le rabbin suce le sexe encore sanglant du bébé mâle hurleur est de toute beauté, de même que le voile effaré qui passe sur le visage des femmes. Les musulmans font ça plus tard, sur des garçons de 11 ans, mais c'est moins convaincant, et oblige à égorger ensuite des moutons pour faire le poids du sacrifice. Un bébé coupé de sa mère est offert au service profond des mères. Dieu en personne veille sur l'opération, qu'on déguise platement en mesure d'hygiène, négation de la sublimité du sujet.

On comprend que d'autres peuples, en particulier les Grecs, aient eu horreur de la circoncision. Saint Paul la rejette (« ils veulent se glorifier dans votre chair »), en l'opposant à la vraie « circoncision du cœur », dont rien n'assure qu'elle soit respectée en acte. Il s'ensuit un délire chrétien (meurtres d'enfants, profanation de l'hostie, etc.), qui conduira au meurtre. Les Allemands, en Philistins déments, se déchaînent sur la question, et on est encore étonné, de nos jours, de voir passer, dans la rue, un adolescent juif, avec sa kippa de velours sur la tête. Son prépuce allégorique le relie à Dieu.

BIZARRERIES 2

Passons à l'une des pièces les plus ténébreuses du démoniaque Shakespeare, qu'on appelle étrangement « comédie ». Il y a deux pièces dans la pièce, dont l'une, et pas l'autre, a fortement retenu l'attention de Freud. C'est l'histoire des trois coffrets, dont l'un contient le portrait de la belle Portia. Le premier est en or, et porte l'inscription suivante : « Qui me choisit aura ce que beaucoup désirent. » Le deuxième est en argent, et dit : « Qui me choisit aura autant qu'il le mérite. » Le troisième, enfin, ne paie pas de mine, il est en plomb, et déclare : « Qui me choisit doit donner et risquer tout ce qu'il a. » Dans quel coffret se trouve le portrait de la délectable Portia ?

C'est un concours, avec trois concurrents mâles. Le Prince du Maroc, le Prince d'Aragon, et Bassanio (amoureux de Portia, qui l'aime). Le résultat est irrévocable : celui qui ouvrira le coffret à portrait empochera la Belle. Comme on pouvait s'y attendre de la part du raciste Shakespeare, le Prince basané du

Maroc (sûrement musulman) ouvre le coffret d'or qui contient une tête de mort. Renvoyé. Le Prince d'Aragon, lui, est un crétin catholique prétentieux, à l'espagnole, qui se croit plein de mérite. Il ouvre le coffret d'argent, et tombe sur une tête d'idiot. Bassanio enfin, subtil Vénitien (anglais), s'apprête à tenter le plomb. Il risque tout pour Portia qui s'exclame :

« Que la musique joue pendant qu'il fait son choix ! S'il perd, sa mort sera celle du cygne qui disparaît en musique ! »

La musique, « nourriture de l'amour », joue un grand rôle chez Shakespeare. Conduit par la musique alchimique, on ne peut pas se tromper, et le plomb se transforme en or. En choisissant le plomb, Bassanio voit le portrait de Portia lui sourire. Grâce à la musique, il a gagné son désir, qui répond à celui de Portia. Drôle de marchandage à Venise.

On ne parle pas assez de Jessica, la fille de Shylock. Là encore, le démoniaque Shakespeare, raciste, antisémite, islamophobe et homophile, frappe fort. Une fille juive trahit son riche père juif obsédé par l'argent, au point de devenir insensible, voulant absolument prélever sa « livre de chair » sur le corps du bel Antonio (il l'adore). La vie avec ce père est un « enfer », dit la belle Jessica, qui va s'enfuir en emportant les bijoux de son père. Trahison redoublée, effrayante, puisqu'elle passe à l'ennemi ancestral avec de l'argent. Le charmant Lorenzo s'occupe de lui apprendre la musique des sphères et celle de la nuit. « Si quelqu'un ne venait pas nous déranger, je vous *surnuiterais* », dit Jessica. « I would outnight you. » Elle avoue ne pas comprendre la gaieté de la douce musique. Elle est mélancolique, il faut la soigner.

Freud ne parle pas de Jessica, il a un problème de fille. Il va même analyser sa fille Anna, qui va découvrir ainsi son homosexualité féminine. Elle gardera très fidèlement le trésor de son père qui s'est assuré d'elle en la thésaurisant. Elle dirigera l'Internationale de façon stricte, pour mourir à Londres, en 1982, comme papa en 1938. On sait (tout se tient) qu'elle s'est intéressée à l'analyse des enfants. C'est elle qui, en accord avec Freud, décidera de son euthanasie médicale.

Une autre femme, dont on ne parle pas assez, est Emilia, la femme du damné Iago, responsable du meurtre de Desdémone par son bizarre mari, Othello. Ce mari est noir « aux lèvres épaisses », mais enfin c'est un Maure, donc musulman. Shakespeare, toujours démoniaque, nous présente la jalousie perfide et mortelle d'un juif contre son maître scandaleusement heureux en amour avec une belle chrétienne. Ce qui ressort surtout, c'est le caractère nigaud des deux époux. Le Maure est naïf, son épouse est prude. La femme du sinistre Iago, en revanche, est très au courant, on peut même l'entendre tenir des discours féministes. L'adultère, un péché ? Allons, allons, « un petit péché dans l'obscurité », c'est de bonne guerre.

Innocemment, elle accélère le drame en ramassant le *mouchoir* de Desdémone dont Iago se servira pour son œuvre de destruction.

Exemple du dialogue entre Emilia et Desdémone, à propos d'un homme :

Emilia : « Un très bel homme. »

Desdémone : « Il parle bien. »

Emilia : « Je connais une dame, à Venise, qui serait allée pieds nus en Palestine pour un attouchement de sa lèvre inférieure. »

Emilia, personnage décisif, révèle la noirceur de son mari. Il la tue, mais elle a le temps de le maudire :

« Puisse son âme pernicieuse pourrir d'un demi-atome chaque jour ! »

Iago sera supplicié sur terre, mais, comme on voit, son supplice en enfer, souhaité par sa femme, sera effroyable, *atomique*. Dante et Shakespeare sont de grands experts en tortures, mais aussi en joies.

David joue de la cithare, Shylock est sourd, Jessica, à Venise, va se perfectionner en musique. Freud, lui, n'aimait pas la musique, pas plus que Lacan. Grâce au Ciel, ou plutôt à cause de son génial grand-père, Leonard Bernstein, Nora a été élevée en musique, d'où sa gaieté, son humour, son détachement.

DÉTACHEMENT

Nora a une autre particularité. Elle était très bonne en mathématiques, mais, sous l'influence de sa mère, elle n'a choisi la psychanalyse qu'assez tard. Un être humain, après tout, est une équation plus ou moins compliquée à résoudre. L'inconscient calcule sans arrêt, il a ses variables, on doit le suivre dans ses sommations, ses fractions, ses péripéties infinitésimales. Ça, c'est le sérieux de Nora, son excellente mémoire. Je dois lui paraître algébrique et topologique, une sorte d'intégrale en mouvement. Comme je suis moi-même hypermnésique, ça marche. « Mais vous m'avez dit une fois » est une de ses formules. Ou bien : « En telle année, vraiment? Vous êtes sûr? »

Nora est évidemment « de gauche », mais avec méfiance. La mémoire comme *devoir* lui paraît une aberration, dont chaque cas clinique lui donne un exemple. Elle trouve ridicules les hommes et les femmes politiques, leurs reniements, leur recherche éperdue de la caméra, leur narcissisme, leurs livres que personne ne lit. Elle repère instantanément l'antisémitisme ou la fausse virilité. Dans cette région, elle ne pense de bien de personne. Elle regarde un peu la télé, mais refuse toute demande d'apparition médiatique ou de signature de pétitions. Derrière tout ce bruit, elle le vérifie chez ses patients et ses patientes, il y a toujours *autre chose*. Elle n'aime pas que l'analyse tourne à l'idéologie (c'est malheureusement en cours). Dans l'œil du cyclone, on peut fermer les yeux, mais on entend tout. Elle veut savoir d'où viennent les *opinions*. Elle a plutôt des goûts que des opinions.

Malgré les meilleures intentions, elle pense que le formatage socio-historique des souvenirs bloque l'accès à la mémoire individuelle, la seule qui s'approche de la vérité. Le mot « Mémorial » envahit l'espace, les victimes du terrorisme sont mélangées à celles de la Shoah, on publie des photos, on lit des listes, on entasse des fleurs, on montre son émotion. C'est bien, c'est soporifique, on réunit, pour un peu de temps, les proches les uns des autres, et voilà les grandes cérémonies de l'oubli. Tout à coup, sur son divan, Nora entend surgir un souvenir très enfoui d'un patient ou d'une patiente. C'est un moment unique, décisif, de l'interprétation. Un souvenir-écran vole en éclats, une porte s'ouvre sur l'amnésie infantile. Le problème est là : ce sont les adultes qui confisquent la mémoire, et la transforment, scolairement, en « devoir ».

À chacun sa mémoire, à chacun ses oublis. Le détachement se fait en parlant dans des conditions précises. Vous racontez un rêve, et tout votre théâtre intime s'anime. Vous avez oublié un nom, en voici la raison. Vous vous trompez de mot, et c'est une trouvaille. De date, et c'est un autre événement, beaucoup plus ancien, qui surgit. Vous attendez la prochaine séance avec impatience, vous avez envie d'en savoir plus sur l'inconnu que vous êtes. Vous ne vous saviez pas si compliqué, si nul, si méchant, si avide, et, du même coup, si profond, si enchanté, si vivant. Vous comprenez de mieux en mieux pourquoi tous les régimes totalitaires ont interdit ou réprimé la psychanalyse, et continuent de le faire, y compris dans la falsification de l'hyper-marché mondial. Science juive, bourgeoise, réactionnaire, athée, pornographique, inutile et nuisible, puisque vous avez des pilules et le sourire bienveillant du dalaï-lama.

Freud a des moments épatants lorsqu'il raconte un de ses rêves. Ainsi de la dame « toute tournée vers lui », qui, lors d'un déjeuner, pose sa main sur son genou, sous la table. Il ne l'a jamais désirée, ce geste est celui, autrefois, de sa fiancée quand il l'a demandée en mariage, mais sa femme, récemment, parlait trop à d'autres que lui, d'où cette compensation narcissique. Pourrait-il en dire plus ? Non.

« À côté des intérêts de la science, il existe des intérêts privés qui m'interdisent formellement un travail de ce genre. Il me faudrait pour cela découvrir quelques-uns de mes sentiments intimes, qui m'ont été révélés par l'analyse, mais que je n'aime pas m'avouer à moi-même. Mieux vaut se taire. »

Le *genou* de Freud, sous la table, garde son secret.

NÉGATION

Les rêves, et leurs contenus latents, sont très embrouillés, incohérents ou absurdes. Mais ils peuvent aussi être évidents et comiques. Ainsi de cette jeune femme, Marie, qui rêve qu'elle se présente en archange de l'Annonciation, une tige de lys à la main. Hélas, ces fleurs de lys n'ont rien de virginal et sont plutôt des camélias, et cette « dame aux camélias » est une prostituée célèbre. Quoi qu'il en soit, le rêve est une réalisation de désir, qui procède, en écheveau, comme un roman, par condensation, dramatisation et transposition, à travers des déplacements et des renversements en vue d'un nœud unique. Vous y êtes : ce « nœud » est toujours érotique, mais oublié, censuré, refoulé.

Freud a compris que l'être humain est un tissu négatif : déni, dénégation, scotomisation, annulation rétroactive, forclusion, hallucination. Il est fait de la même étoffe que les rêves, et sa petite vie est enveloppée par la mort. Le rêve, gardien du sommeil, se débat dans des hiéroglyphes qu'on peut déchiffrer, par couches successives, comme un palimpseste. Voilà l'art de Nora. Elle tisse, elle détisse, tient le fil d'une histoire, trame. Les corps arrivent chez elle (avant l'heure, c'est l'angoisse, après l'heure, l'agressivité), ils s'allongent comme des momies vivantes, ils parlent, et Nora les écoute de façon flottante, et, parfois, en dormant un peu dans son confortable fauteuil. Dites-moi votre négation, même si elle est féroce.

Le patient, ou la patiente, devient lecteur ou lectrice de soi-même. C'est pénible, émouvant, passionnant : longues plages d'ennui, souillures, flétrissures, détresse, revendications, déceptions, humiliations, frustrations, colère. Et puis, un tournant. Et puis ça recommence, ça n'en finit pas, et pourtant, un jour, c'est fini. Ce philosophe est là depuis cinq ans, il n'arrive pas à tuer son père.

Tout se passe comme si Nora devait lire 50 romans à la fois. Elle ferait une excellente critique littéraire, repérant immédiatement l'indice d'une analyse possible. De temps en temps, elle lit deux ou trois romans, pour voir. C'est vite vu. Roman familial plus ou moins tordu, brume mélancolique, viols, mort d'un enfant, rupture sentimentale, échecs de communication, dépression. Elle est très étonnée de voir des publicités qui vantent certains livres avec une admiration passionnée. Elle me demande si la critique littéraire existe toujours. Oui, bien entendu, mais seulement pour entretenir la confusion marchande.

Et maintenant quelques questions très simples :

Que savez-vous sur vous, que vous n'avez pas envie de savoir ?

Pourquoi choisissez-vous de ne pas voir ce qui crève les yeux ?

Combien de forces dépensez-vous en refoulements et censures ?

Pourquoi évitez-vous si soigneusement de citer tel ou tel nom ?

Pourquoi passez-vous par la fenêtre ou la cheminée, quand la porte est ouverte ?

Êtes-vous sûr, ou sûre, de ne pas aimer quelqu'un que vous détestez ?

Combien de fois vous est-il arrivé de dire « oui » en pensant « non », et « non » en pensant « oui » ?

Racontez-moi à nouveau le premier rêve qui vous revient à l'esprit.

Dites-moi tout ce qui vous passe par la tête.

Certains pensent que nous tournons en rond dans la nuit, et que nous sommes consumés par le feu. Ils ne peuvent pas poser la négation à sa place. La négation de la négation leur échappe. Dans cette dimension, le suicide est fréquent. Or, quoi qu'on dise, le suicide est un acte d'espoir. J'ai plusieurs fois été tenté par cette fausse espérance.

Nora aime beaucoup une photo de Lacan, prise lors d'un de ses séminaires. Il est debout, devant un tableau noir, où il a écrit, à la craie, le titre de son sujet de l'année : « D'un discours qui ne serait pas du semblant ». Dans l'énergique corruption en cours, servie par la niaiserie sexuelle, tous les discours sont devenus du semblant. Nora pourrait mettre une plaque sur son cabinet d'analyste : « Ici, on analyse le semblant ».

« Ils sont vides », me dit souvent Nora en parlant de ses patients. Pleins de fantasmes et de petites histoires dégoûtantes, mais vides. Elle ne me raconte rien de ses cas, mais j'imagine. Voici une écrivaine bloquée dans la poursuite de son roman. Quel est le problème ? Certes, elle vient d'être quittée par son mari, parti avec une jeune aventurière du show-biz, dont on voit la photo partout. Mais il y a plus grave : son père l'a peut-être violée lorsqu'elle avait 10 ans, sa mère lui en a toujours voulu de sa supériorité intellectuelle, sa sœur, médecin, s'est sans arrêt moquée de ses prétentions littéraires, sa fille, depuis le départ de son père, fait une dépression grave, son éditeur la presse, elle lui doit de l'argent. Si j'étais Nora, devant ce cas, j'augmenterais le prix des séances.

Ce metteur en scène est en panne. Ses derniers films ont été de grands succès, mais il ne sait pas quoi faire de celui qu'il est en train de tourner. Sa liaison avec l'actrice principale vient de virer au cauchemar. Il a été obligé d'annuler un tournage en Italie, il est sous tranquillisants, il voudrait comprendre pourquoi sa femme a fini par lui avouer qu'elle aimait les femmes. Sa vie lui paraît un film raté, il se plaint d'être devenu la proie des images. Même histoire chez un publicitaire professionnel, dont le contrat a été rompu par son employeur en produits de beauté. Clip insuffisant, modèle féminin trop froid, mauvaises ventes.

Cette femme politique de gauche a perdu la foi. Elle est sincèrement écologiste, mais elle désespère du parti socialiste, à cause de son irrésistible glissement vers la droite. Sur qui s'appuyer? Même la Nature ne lui parle plus franchement, le bavardage politico-médiatique et son iPhone lui cachent, désormais, l'herbe, les fleurs, les nuages, les arbres. Elle est très préoccupée par le nucléaire, la crise que connaît la laïcité, la pénétration du voile islamique. La couleur verte ne lui plaît plus. Il s'agit probablement d'un traumatisme infantile, mais lequel?

Ce prêtre catholique est très angoissé par ses pulsions pédophiles. Il a honte, il se sent damné, sa vie est un enfer aux tentations multiples. Il enseigne dans une école privée, il a demandé sans succès sa mutation à son évêque, il a peur d'un passage à l'acte et du scandale qui s'ensuivrait. Il considère tous les adultes comme des enfants ratés, et, en général, il n'a pas tort. Il a une sœur qu'il adore, mais, enfer, elle est mère d'un petit garçon blond ravissant, auquel, la malheureuse, elle a donné le même prénom que le sien. Heureusement, il trouve que Nora ressemble à sa sœur. Ça devrait marcher.

Un jeune enseignant gay, d'origine modeste, est malheureux. Il cherche le grand amour, et pourquoi pas le mariage, mais il n'arrive pas à le rencontrer dans ses dragues. Il a la conviction d'être une femme comme les autres, et il appartient à Nora de le détromper. Ce sera difficile, compte tenu de la sympathie qu'il inspire. Il croit fermement à la post-vérité, et à tout ce qui se tartine sur la théorie du genre, mais enfin, quelque chose ne va pas. Il souhaite écrire son expérience, qui, grâce à l'analyse, pourrait être un succès.

PROGRÈS

Toute fondation demande à être périodiquement refondée, toute grande découverte attend sa redécouverte. Freud découvre l'hystérie : c'est un continent nouveau, bientôt recouvert par un océan d'images. Elle est là, pourtant, l'hystérie, très changée, mais toujours la même. Bien que très déprimée, elle n'arrête pas de parler. Effervescente ou glacée, mutique ou jacassante, frigide ou déchaînée, vous pouvez l'appeler *bipolaire*. C'est le vrai pôle Nord de l'humanité.

On l'habille, on la fait jouer ou chanter, on la fait défiler et danser, on la photographie et on la filme, en variant souvent les pays, les situations, les visages. Par définition, l'hystérie est une publicité inlassable, indéfiniment romancée. Elle raconte un peu n'importe quoi, mais ce n'est pas grave. Son rôle de victime triomphante est garanti par contrat. Ce matin, elle est très sombre, ce soir elle sera intarissable. Toute la journée, elle envoie des textos, elle twitte, elle s'agite. Elle tourne parfaitement en rond, avec une volonté captive.

C'est une planète en plein désarroi. Son angoisse est palpable, mais la voici brusquement très gaie, allez savoir pourquoi.

« Bipolaire », c'est plus chic que le nom ancien de psychose maniaco-dépressive. Une star bipolaire se remarque aussitôt. C'est l'étoile du spectacle un peu partout au café, au restaurant, à la radio, sur un plateau de télé. Les hommes n'ont pas le choix : soit ils s'identifient à cette astronomie perturbante, soit ils se taisent, se mettent entre parenthèses, de plus en plus déboussolés par des ellipses aussi convulsées. Un homme doit être une bipolaire comme une autre, mais il n'y arrive pas forcément. Il lui manque l'aide de la banquise profonde.

Nora écoute pendant trois quarts d'heure les petits enfers des uns et des autres, prend quelques notes, souligne deux ou trois mots, somnole, ou, quand c'est trop ennuyeux, écoute de la musique avec une oreillette. Elle commence à 10 heures du matin, s'interrompt à 13 heures, déjeune à peine, recommence à 14 h 30 jusqu'à 19 h 30, cinq jours par semaine. Les bipolaires, sans jamais se rencontrer, se succèdent sur son divan, et sont à l'heure. Paiement comptant, chaque fois.

L'analyse est l'absolu contraire du « être ensemble », seriné par la propagande sociale. « Restons unis », clame la névrose sur fond d'attentats. « Tirez-vous de là », répond le silence. « La vérité vous rendra libre », a dit quelqu'un de grande envergue. « Un peu plus libre », propose modestement l'analyse. Pas de grands mots, seulement les mots. Revenez sur votre rêve de la semaine dernière. Non, pas celui-là, celui d'avant.

Comme l'époque est très rude, les bipolaires sont fatiguées et, par conséquent, fatigantes. Elles hésitent, balbutient, se perdent dans des détails quotidiens sans intérêt, vont beaucoup au cinéma, se croient obligées de raconter le dernier film. Comme l'actualité est désastreuse, les bipolaires, de plus en plus inquiètes, se sentent contraintes de la commenter.

Nora est surtout impressionnée par une montée générale de vulgarité. Il y avait encore des traces de pudeur chez la bipolaire. Maintenant elle parle de sexualité de façon tranchante, ne craint pas la crudité agressive, et se trouve beaucoup plus réussie que les bipolaires masculins. Elle a quand même un doute, et vient en analyse pour donner un sens à sa vie. Selon elle, la vie *doit* avoir un sens. Il sera compliqué de lui faire admettre qu'elle n'en a aucun.

À propos de découverte, prenez le Polonais Nicolas Copernic (1473-1543), à la fois chanoine, médecin et astronome. Il a sous la main une bombe qu'il publie prudemment juste avant sa mort : *De revolutionibus orbium cœlestium.* Non seulement la Terre tourne, mais elle tourne autour du Soleil. Regardez-le marcher seul dans les rues enneigées de Varsovie en pensant que personne ne croira à l'effarante nouvelle qu'il annonce, celle qui remet en cause tous les pouvoirs. Poursuivez jusqu'à Newton, et vous allez déboucher sur Freud. Au passage, n'oubliez pas de saluer la mémoire du marquis de Condorcet (1743-1794), arrêté pendant la Terreur comme Girondin, et qui s'est empoisonné après avoir écrit *Esquisse d'un tableau historique des progrès de l'esprit humain*. Mais oui, avec Nora, malgré la dévastation générale, je crois plus que jamais aux progrès de l'esprit humain.

CHARME

Le vrai charme appartient à celui, ou à celle, qui est allé, les yeux ouverts, dans son propre enfer. C'est très rare, et il s'ensuit une gaieté spéciale, teintée d'un grand calme :
« Ce charme a pris âme et corps
Et dispersé les efforts. »
Juste avant, Rimbaud écrit :
« J'ai fait la magique étude
Du bonheur, qu'aucun n'élude. »
Grâce au charme de Nora, je poursuis, sans effort, ma magique étude.

Supposons :
Je suis mort, et, deux ans après ma disparition, Nora publie un livre qui devient immédiatement un best-seller international. *Love Transfer* est d'abord un grand succès aux États-Unis. La petite fille de Leonard Bernstein et son French lover. A controversial writer ! A womanizer ! Hot side story ! Nora rit de ce scénario, et n'a pas l'air pressée de me voir mourir.

Un rire plus sombre, en revanche, touche cette jolie patiente anglaise de 38 ans, qui a commandé, pour 1100 euros, un don de sperme sur Internet. Elle a invité des copines pour faire le choix du donneur, défini par son ethnie, la couleur de ses yeux et de ses cheveux, sa taille, son niveau d'études et sa religion. Il y a eu de longues discussions entre les acheteuses, et, finalement, l'élu a été un Danois. Cette charmante Anglaise, qui vient, deux fois par mois, pour raconter tout ça à Nora, est aujourd'hui enceinte de 6 mois, mais se sent quand même coupable : « J'ai cliqué, dit-elle, et le sperme m'a été envoyé congelé, comme un livre sur Amazon. »

Nora, tout en gardant son sang-froid, est plutôt effrayée par l'intensité de ce business. Combien d'échantillons spermatiques sont-ils aujourd'hui en circulation ? Comment habiller un géniteur inconnu aux yeux bleus en père ? Comment transformer des spermatozoïdes en fonction symbolique ? De plus en plus de femmes, on les comprend, ne trouvent plus d'hommes à leur goût. Pourquoi ne pas traiter le problème par la poste ? Bonjour Madame, voici votre échantillon congelé, envoyé par Spermaton, une filiale d'Amazon. Vous aviez commandé un livre par le même envoi ? Il est là : *Le mystère des Pyramides*.

Des milliers de bébés virtuels circulent sur la Toile. Puissent-ils arriver à bon port ! Ça ne marche pas à tous les coups, mais les réussites sont très nombreuses. Les pays nordiques fournissent la majorité des donneurs : danois, hollandais, norvégiens, suédois, islandais sont les plus choisis par les femmes blanches occidentales. Mais attention : il y a aussi les Canadiens, les Américains, les Lituaniens, les Russes. Le donneur français est peu demandé, sa réputation sexuelle reste sulfureuse. L'Allemand, en revanche, est bon pour les ventes. Les Siegfried, les Sigurd, et même les Sigmund, sont très appréciés, mais les Adolf sont impitoyablement rejetés. Les demandeuses n'ont pas de préjugés, Wagner ou Freud, ça fera l'affaire.

Les géniteurs ont des prénoms, mais pas de noms. Leurs prénoms, d'ailleurs, ne sont pas forcément les leurs, et leurs identités nominales sont tenues secrètes. Les enfants inséminés porteront donc le nom de leur mère, c'est-à-dire, dans la plupart des cas, celui du père de la mère. Un enfant qui, plus tard, voudra s'orienter dans cette brume, pour savoir *d'où il vient*, aura fort à faire. Dans quel but ? Découvrir un grand-père célèbre ? Un arrière-grand-père criminel ? Mieux vaut aplatir la chose. Un clic, une livraison, une injection, action. C'est peu romantique, mais très pratique.

L'espèce humaine, et c'est son charme, est très ancienne. On peut déjà parier que les filles voudront toujours avoir un père (et un enfant de lui, plus ou moins imaginaire) et que les garçons réclameront aussi un père, pour le haïr et le surclasser. La pièce de cette tragi-comédie est déjà jouée, elle est vieille comme le monde, même si on change de fond en comble les décors. Je suis content de connaître une femme comme Nora, dans ce tournant de l'histoire. Le même type de lucidité féminine a-t-il déjà existé? Je ne crois pas, et c'est là qu'on peut vérifier que Freud, avec son charme de cosmonaute psychique inattendu, a fait un pas de géant sur la Lune.

CONTRADICTIONS

C'est automatique : plus vous vous élevez vers le haut, et plus vous descendez vers le bas. D'un côté, lumière, rapidité, couleur, silence, intelligence immédiate. De l'autre, lourdeur, brouillage, bêtise, débilité, bruit, laideur. Ces deux verticales mobiles sont épuisantes. Vous êtes au paradis, et, paradoxalement, en enfer. Fermez les yeux, vous délirez. Ouvrez-les, et vous voyez distinctement l'esprit des Lumières. Après quoi, vous pouvez sortir dans la nuit.

Sommeil, et aucun repos, détails absurdes, gestes approximatifs, oublis multiples. Et, simultanément, grande sérénité, mémoire précise, confiance fondamentale. Vous volez aussi bien que vous titubez. C'est le prix à payer. Tout vient à vous, tout s'éloigne de vous. Vous devenez un cas central pour la science.

Depuis l'enfance, vous êtes en état d'urgence. Votre vie va finir dans l'heure qui suit, et vous avez décidé d'être en alerte maximale comme un animal. La vie de Surcouf, corsaire dans l'océan Indien, vous passionne. Dans vos rêveries, vous jouez, comme lui, les rôles apparemment les plus contradictoires : armateur discret, pillard redoutable, honorable banquier. Chef-d'œuvre d'humour, votre bateau le plus connu s'appelle *Confiance*. Quand les navires commerciaux l'aperçoivent au loin, ils essaient aussitôt de fuir. Mais trop tard.

Rien de plus ironique qu'un corsaire : c'est un pirate *légal*. Un gouvernement le couvre, il peut changer de pavillon, comme le célèbre Jean Bart, qui, avant de devenir tout à fait officiel, a fait ses classes chez le Néerlandais Ruyter. Ils ont tous connu leur île au trésor, les noms et les situations changent, l'expérience reste la même.

De toute façon, les océans et les mers ont toujours été vécus comme de vastes centrales de liberté :
« Homme libre, toujours tu chériras la mer !
La mer est ton miroir ; tu contemples ton âme
Dans le déroulement infini de sa lame,
Et ton esprit n'est pas un gouffre moins amer. »

C'est un corsaire français qui a écrit ces vers, et bien d'autres qui ont fait scandale à l'époque. Il est remarquable que ni Freud ni Lacan n'aient jamais écrit son nom dans leurs œuvres. Nora aime beaucoup Baudelaire, surtout celui des *Paradis artificiels*. Elle a expérimenté plusieurs substances, pour mieux comprendre certains patients. Freud a fait lui-même, à ses débuts, un long stage dans la cocaïne. Il n'aurait sans doute pas découvert la science des rêves sans cette fluidification. Il a sûrement continué en douce.

Nora me remet sous les yeux *Le poème du haschisch*, dont la première partie porte le titre suivant : « Le goût de l'infini ». Il s'agit de musique :

« Les notes musicales deviennent des nombres, et si votre esprit est doué de quelque aptitude mathématique, la mélodie, l'harmonie écoutée, tout en gardant son caractère voluptueux et sensuel, se transforme en une vaste opération arithmétique, où les nombres engendrent les nombres, et dont vous suivez les phases et la génération avec une facilité inexplicable et une agilité égale à celle de l'exécutant. »

Freud n'entendait pas la musique, mais il a beaucoup voyagé dans les rêves, en comprenant, mathématiquement, qu'il fallait les faire *parler*. Soudain, les hiéroglyphes ont une voix, ils racontent les contradictions du désir. Les rêveurs, les rêveuses ne savaient pas qu'ils vivaient en pleine tragédie grecque. C'est l'entrée de Sophocle à Vienne. Un spectacle dégoûtant se joue dans tous les appartements. Parlez, parlez, payez, Freud, derrière vous, vous écoute. Comme c'est plat, stupide, acharné, violent ! Comme cette répétition morbide s'éternise ! Comme nous sommes loin de la féerie

du haschisch ! Tiens, voici un lapsus de toute beauté :
une porte s'ouvre.

Lacan, que j'allais chercher pour dîner, semblait à
chaque fois épuisé par ses séances, qu'il raccourcissait
autant que possible. Encore lui ? Quel emmerdeur !
Encore elle ? Quelle emmerdeuse ! Revenez demain.
Dix minutes maximum. Ensuite, au restaurant, avec le
champagne rosé, quelle gaieté ! Le mot d'esprit en lui-
même. Une sorte de *bonté*.

SHERLOCK FREUD

Freud a 28 ans en 1884. En juillet, il publie à Vienne un article sur la cocaïne, qu'il expérimente depuis un certain temps. Il est enthousiaste, comme le révèlent ses lettres à sa fiancée, Martha Bernays. La coke est un remède miracle permettant de lutter contre la fatigue et la dépression, un truc magique qui pourrait lui assurer célébrité et fortune, un principe de puissance et de virilité :

« Prends garde ma Princesse ! Quand je viendrai, je t'embrasserai à t'en rendre toute rouge. Et si tu te montres indocile, tu verras bien qui, de nous deux, est le plus fort : la douce petite fille qui ne mange pas suffisamment ou le grand monsieur fougueux qui a de la cocaïne dans le corps. Lors de ma dernière grave crise de dépression, j'ai repris de la coke, et une faible dose m'a magnifiquement remonté. »

Même tonalité dans les lettres envoyées de Paris. La cocaïne lui « délie la langue, même en français », et lui permet d'être à l'aise dans les sociétés mondaines.

Jusqu'en 1895, Freud utilise et prescrit de la cocaïne. Il ira de plus en plus vers le tabac (les cigares de Freud! les cigares tordus de Lacan!), mais enfin, nous ne sommes pas là pour vérifier s'il y a de la poudre dans ses tiroirs. La coke est un puissant stimulant du fonctionnement mental, elle apaise l'angoisse, la culpabilité, la neurasthénie de base, elle ouvre la clé des rêves. Un chapitre difficile à écrire? Une injection, et hop, c'est parti.

Un autre fervent de la cocaïne n'est autre que Conan Doyle, qui fait parler ainsi Sherlock Holmes au bon docteur Watson, lequel s'inquiète de le voir s'en injecter trois fois par jour :

« Peut-être cette drogue a-t-elle un effet néfaste sur mon corps. Mais je la trouve si stimulante pour la clarification de mon esprit, que les effets secondaires me paraissent d'une importance négligeable. Mon esprit refuse la stagnation. Donnez-moi des problèmes, du travail! Donnez-moi le cryptogramme le plus abstrait ou l'analyse la plus complexe, et me voilà dans l'atmosphère qui me convient. Alors, je peux me passer de stimulants artificiels, mais je déteste trop la morne routine de l'existence! Il me faut une exaltation mentale, c'est d'ailleurs pourquoi j'ai choisi cette singulière profession, ou plutôt pourquoi je l'ai créée, puisque je suis le seul au monde de mon espèce. »

Freud est un détective d'un genre nouveau. A-t-il eu connaissance des autres aventures de son temps,

Thomas De Quincey, Baudelaire? A-t-il lu *Du haschisch et de l'aliénation mentale* du très curieux docteur Moreau de Tours, qui surveillait les « fantasias » de l'hôtel Pimodan, à Paris? En tout cas, avant de se taire sur ce sujet, et sans s'interroger sur la toxicité de la coke, il recommande d'en prendre chaque fois qu'il s'agit d'augmenter l'efficacité physique, de traiter les troubles digestifs, les états de fatigue, l'asthme, l'accoutumance à la morphine ou à l'alcool, et aussi comme aphrodisiaque. Sur ce dernier point, nous n'avons pas les constatations de sa femme, Martha.

Vous avez oublié un nom propre? Freud vous dira pourquoi. Vous vous trompez de mot, vous ressentez une inquiétante familiarité, vous avez telle ou telle phobie? Sherlock Freud débrouillera ce mystère. J'ai bien connu son successeur, Sherlock Lacan. Il ne parlait jamais pour ne rien dire. C'était un fou de grande envergure, qui disait de lui-même qu'il en était resté à l'âge de 5 ans. Lui aussi, grand détective. Le plus remarquable, dans les deux cas, l'un extrêmement pudique, l'autre plutôt exhibitionniste, était la présence d'une raison inflexible. Un juif athée, un catholique baroque, deux aventuriers de la vérité vraie.

Nora-Sherlock m'écoute avec gentillesse, même si elle trouve que j'exagère sur la cocaïne de Freud et la folie de Lacan, mais il est nécessaire de déranger la *routine*. Routine de la philosophie, routine du marché féroce, hyper-routine de la publicité sur fond de massacres. Et voici, une fois de plus, les fêtes de fin d'année, familles avec sapins, cadeaux, bouffe, bruit, alcool, enfants, petits-enfants, nouveau-nés miracles. J'imagine Nora faisant des courses dans la bousculade. Très vite, elle prend quinze jours de vacances dans sa maison du Midi. Plus de divan, plus de discours plus ou moins foireux, de l'air bleu.

RAPTUS

Malgré tous ses dévoiements et ses atermoiements, la psychanalyse reste un scandale possible dans un monde où plus rien ne peut faire scandale. Vous me direz que ça ne risque pas d'arriver : l'analyse est dépassée, décriée, exténuée, débordée par le spectacle mondial et les neurosciences, elle ne peut plus intéresser que de vieux croûtons viennois qui rêvent de leur belle époque. Je connais pas mal de psys français ou françaises, je lis leurs brochures, notamment le *Lacan quotidien* qui se traîne toujours. Je constate que ces braves gens vont beaucoup au cinéma, au théâtre, qu'ils font même parfois de la critique littéraire fade et précieuse (toujours des livres étrangers), bref que l'horreur de la tragédie humaine leur échappe dans un confort de défense professionnelle. Lacan appelait ça « les petites pointures ». Allons plus loin : ce sont, désormais, les chaussons pour bébés.

Il suffit pourtant de jeter un œil sur l'actualité pour voir que tout demande, à cor et à cri, l'interprétation freudienne. Quant aux faits-divers, n'en parlons pas, ils regorgent de splendides exemples, comme ce meurtre d'un garçon de 4 ans, Grégory, par une bande de cinglés de la même famille. Il y a une excellente émission de télé, entièrement consacrée à des énigmes criminelles plus ou moins élucidées. C'est du Sherlock Freud de première qualité. Je raconte certaines affaires à Nora. Je réussis à la surprendre.

Prenez le cas de Pierre Joly, meurtrier de ses trois enfants pour se venger de sa femme. Il ne veut d'abord qu'un enfant, elle en fait trois : Laetitia, Yannick et Samantha. Des enfants gais, ravissants, envers lesquels ce père forcé se montre épatant, affectueux, protecteur, « papa poule ». Mais voilà : il a une maîtresse, et sa femme, Myriam Joly, veut divorcer en ayant la garde exclusive des petites merveilles, qu'il ne pourra visiter qu'en terrain neutre. Là, le père prend feu. Il commence par Laetitia, avec une mauvaise carabine. Elle dort dans son lit, il ne réussit qu'à la blesser à la tête. Épouvantée, elle va s'enfermer aux toilettes. Joly lui parle à travers la porte, la cajole, la supplie d'ouvrir pour qu'il la soigne. Elle ouvre, il la lave, lui masse le dos, et finit par la noyer dans la baignoire. Même noyade avec Yannick et Samantha. Après quoi, il détruit l'appartement, et s'enfuit chez sa maîtresse, à laquelle il ne dit rien.

Il est vite arrêté, avoue sans difficultés, affirme à son procès qu'il ne se souvient de rien, est classé comme victime d'un « raptus mélancolique » par les psychiatres. Il écope de 30 ans de prison, dont 20 de sécurité incompressible, change son nom et son prénom, et purge sa peine. Myriam, elle, se sent détruite (c'était le mobile de son mari). Un psychiatre raconte ce détail stupéfiant : elle s'est fait tatouer sur le pubis, « sur les ovaires », dit-elle, les premières lettres des prénoms de ses enfants. Laetitia, Yannick, Samantha, ça donne LYS. L'Annonce faite à Myriam-Marie a sa fleur de lys, mais Pierre Joly était loin d'être un archange. Appelez-le maintenant Pierre Jolys, mari de Myriam Jolys, et regardez bien ce Y masculin (Yannick) coincé, sur les ovaires, entre deux filles. Est-ce que tout ça n'aurait pas ravi Sherlock Lacan ?

Nora trouve cette histoire effroyable, mais un autre fait-divers met en scène un autre mari insoupçonnable, qui a tué sa femme et ses enfants, avant de disparaître dans la nature. On le cherche toujours. Il a dû changer d'identité et de continent, comme les nazis qu'on a retrouvés, peu à peu, en Amérique latine. Bronze-t-il quelque part au soleil ? Il a montré un sacré sang-froid, qui peut faire réfléchir sur le complexe de castration chez l'homme. Vous me dites que, grâce à la théorie du genre, ce souci n'existe plus ? Qui vivra verra.

Les commentaires de ces cas explosifs (policiers, psychiatres, etc.) ne font jamais référence aux problèmes sexuels. Ce sont toujours les mêmes clichés : il trompait sa femme, il a ramené une fois une prostituée sous le toit familial, elle voulait encore un enfant. Cette autre femme d'âge mûr a tué son mari avec une piqûre de curare, avant de se tuer elle-même en balançant la seringue dans la cheminée. A-t-elle été aidée par son fils médecin? La police l'a cru un moment, mais pas de preuve. Le *curare*, voilà du grand style. On se croirait dans une des dents de Himmler, ou dans la cellule de Goering, qui a obtenu en catimini une capsule de cyanure, ce qui lui a évité la pendaison.

Les couples hétérosexuels qui parviennent à éviter le cauchemar de la différence sexuelle sont sûrement très rares. Les magazines, pourtant, les montrent toujours radieux, malgré leurs divorces successifs et leurs adoptions hasardeuses. Les couples homosexuels s'en tirent-ils mieux, avec le mariage pour tous et les questions d'adoptions et d'inséminations qui s'ensuivent? La nouvelle propagande le dit.

CATHOS

Rien de plus cocasse, et, en un sens, de plus beau, que la messe de Minuit, à Rome, la veille de Noël. Tout est en place, la crèche est énorme, et le pape, tout en blanc, va aller déposer un joli bébé en cire, entre le bœuf et l'âne traditionnels. Ça y est : il prend son élan, il court presque, comme s'il avait peur que le nouveau-né miraculeux ne lui fonde dans les mains avant d'arriver à l'étable. Le saint homme, pendant deux minutes, a l'air d'une petite fille protégeant sa poupée. Astuce géniale : toutes les petites filles et tous les petits garçons du monde sont concernés. Des fleurs, des cantiques, une homélie, une foule recueillie, la télévision, rien ne manque. L'enfant divin est bien là, dans sa paille : c'est un tout petit migrant accueilli dans un luxe inouï.

Une petite fille va-t-elle choisir une poupée *mâle*? Pourra-t-elle s'identifier à la Vierge Marie? Ce bébé a-t-il un sexe sous son pagne? Est-il déjà circoncis? Autant d'épineuses questions, vite emportées par l'euphorie générale. Une Américaine de passage est éblouie, les féministes sont révulsées par ce grotesque machisme fanatique. Nora, qui est pourtant d'un athéisme à toute épreuve, sourit. Elle est étonnée de la survivance iné-branlable de cette illusion. Le Vatican est devenu un musée théâtral à la régulation impeccable. Essayez de supprimer Noël, c'est-à-dire Christmas! Cadeaux de Noël! Business Christmas!

La PSA, Procréation Spirituellement Assistée, est une trouvaille fabuleuse. On aura beau médicaliser à outrance la reproduction, elle subsistera comme fan-tasme fondamental. D'où viennent les enfants? On le sait, mais on ne le sait pas vraiment. Ce bébé divin, qui sait tout et pardonne tout, aura beaucoup à souffrir à cause de ses talents d'orateur, avant de ressusciter. Ève a ouvert une plaie, Marie la guérit, l'humanité est *réparée* dans son ensemble. Le Diable est furieux et aug-mente sans arrêt ses ravages, les sorcières enragent. Regardez le pape courir Urbi et Orbi. Plus de Vatican un jour? Plus de pape? Il restera une archive monu-mentale que Sherlock Freud finira par déterrer, en même temps que le catho Lacan ira plus loin dans les fouilles.

Que faire des nombreuses perversions cathos, sous le voile d'un refoulement d'enfer? La vague des curés pédophiles finira par retomber, on passera à la mou-linette freudienne les candidats à la prêtrise. Leurs mères auront fait leur temps, elles ne rêveront plus d'un fils qui éviterait soigneusement d'autres femmes qu'elles. Le prêtre catho *à la coule* verra le jour. On se disputera l'indulgence de cet étonnant hétérosexuel célibataire, l'un des derniers en ce monde. On le désignera comme l'évadé providentiel de Sodome et Gomorrhe. Son honnêteté, sa pureté, son discernement seront à la mode. Homme de terrain, il en saura long sur les femmes, et sera charmant avec les enfants. On pourra l'appeler « mon Père » en toute confiance.

Fils d'un tonnelier, qui était aussi sacristain de l'église catholique de son village, le penseur Heidegger, symptôme œdipien, s'est toujours montré hostile à Rome, et à tout ce qui était romain. De son point de vue, il n'a pas tort. Il a intitulé un de ses livres *Chemins qui ne mènent nulle part,* en sachant très bien que tous les chemins mènent à Rome. Il serait très surpris de voir un jésuite de 80 ans à la tête de la vénérable maison, d'autant plus que ce pape, François, se prononce (un comble !) pour la béatification de Blaise Pascal, l'auteur des terribles *Provinciales* hostiles à la Compagnie de Jésus. Rome a les clés du temps, et il est juste de déclarer Bienheureux le génie mathématique qui, à l'âge de 19 ans, a inventé la machine à calculer. Béatifier les *Pensées* de Pascal ! Il fallait y penser.

On se souvient de la formule de Heidegger : « Ni théisme, ni athéisme, et encore moins indifférentisme. » Il a quand même fini par dire que « seul un dieu pourrait aujourd'hui nous sauver ». L'indifférentisme a gagné, et Allah est remonté en première ligne. Lacan, subtil, a dit que Dieu était inconscient. En tout cas, mort ou pas, il ressurgit tous les ans, à Rome, sous la forme d'un bébé de cire. La biologie s'occupe du reste, en dehors de toute cogitation.

Sur ces sujets, je trouve Nora *songeuse*. Elle est loin d'être une admiratrice inconditionnelle d'Israël, mais enfin le problème démographique est là. Les Arabes se reproduisent beaucoup, les Juifs ont pour mission de relever ce défi (c'est leur foi principale), la situation est préoccupante. Ce divin bébé juif, transformé en chrétien, est devenu un blasphémateur épouvantable, prêchant l'abstention, et mettant ainsi en péril la survie du peuple choisi par Dieu. Heureusement, de moins en moins de femmes le suivent. La population africaine s'accroît vertigineusement, et il ne manquerait plus que les Chinois, un jour ou l'autre, deviennent cathos. En secret, à la jésuite, le vrai but de Rome est, encore aujourd'hui, la Chine. Pascal en chinois? Pourquoi pas?

GRÂCE

Le Père, le Fils et le Saint-Esprit sont trois personnes distinctes qui, pourtant, n'en font qu'une. Débrouillez-vous avec ça. La formule canonique est : « Au nom du Père, du Fils et du Saint-Esprit. » Mais, dès que vous avez une personne, vous avez les deux autres. Personne ne s'avise de dire « Au nom du Fils, du Père et du Saint-Esprit », et encore moins (ce qui est parfaitement possible) « Au nom du Saint-Esprit, du Père et du Fils ». Puissance du Père, Verbe du Fils, Amour du Saint-Esprit, voilà le circuit.

Ce Trinithéisme est bizarre, et a donné lieu à de multiples interprétations, d'autant plus que la Trinité ne tient le coup qu'en rajoutant un quatrième terme, l'éternelle Vierge Marie qui va se faire couronner avec son corps mortel (Assomption) par les trois autres. Un Père, de même nature que son Fils ressuscité (Ascension), permet l'entrée en scène du Saint-Esprit, dont le règne invisible a depuis longtemps commencé avec un engendrement divin (Immaculée Conception). Vous n'êtes pas sensible à ce fabuleux opéra? Vous préférez constater la toute-puissance du Mal? Vous n'êtes pas touché par la Grâce.

Marie est pleine de grâce, ce que beaucoup de peintres et de musiciens, en idéalisant leurs mères, ont magnifiquement prouvé. Ils se sont mis, sans le moindre embarras, à la place de l'enfant Jésus. Ils se ressemblent tous, et ce sont des anges. Les Chérubins fixent et contemplent, les Séraphins brûlent, les Archanges ont chacun une fleur de lys à la main. Quelle sarabande! Mais les démons aussi, on l'oublie trop, sont des anges, à commencer par le plus grand d'entre eux, Lucifer. Quelques esprits audacieux, mais faux, se sont mis en tête de réhabiliter Satan. Beaucoup de bruit et de fureur pour pas grand-chose. La pensée reprend vite sa tranquillité, et les anges leurs concerts célestes. Je conviens qu'il faut une oreille spéciale pour les entendre. Le Diable, lui, est une rock-star qui fait un boucan d'enfer.

Je me demande comment Nora garde toute sa grâce naturelle en écoutant, chaque jour, sa horde de petits démons allongés chez elle. Les possédés du divan sont des disgraciés en cure. Ils peuvent rester des années sans aucun progrès. Certains veulent devenir psys, et passer ainsi du côté du *fauteuil*. Il arrive à Nora de perdre des patients ou des patientes à qui elle a déconseillé cette conversion. Ils vont voir ailleurs quelqu'un de plus sympathique, c'est-à-dire de plus soumis au contre-transfert.

Les patients les plus difficiles croient tout savoir de la psychanalyse. Ils ont beaucoup lu, ils savent mille choses, ils sont *déjà* psychanalystes, et sont très déçus de devoir raconter des cochonneries à une jolie femme impassible, rarement intervenante, et qu'il faut, en plus, payer rubis sur l'ongle, de préférence en liquide. Les plus doués, au contraire, n'ont rien d'intellectuellement remarquable. Ils veulent sauver leur vie, voilà tout. Heureux les pauvres d'esprit, la porte de l'inconscient leur est grande ouverte. Ceux qui ne comprennent rien comprennent mieux que ceux qui comprennent mal. L'enfer est pavé de réprouvés qui ont mal compris.

Toutes ces histoires de transfert et de contre-transfert restent bien ténébreuses. Ce sont des aventures d'amour fictif. Si les divans pouvaient parler, on en apprendrait de belles. Freud, avec son courage habituel, a pris des risques en prenant sa fille Anna en analyse, ce qui a permis à cette fille d'hyper-père de découvrir son homosexualité. Anna, héritière de la pensée de Freud (sa froide Athéna, en somme), s'est toujours montrée théoriquement intransigeante, et s'est spécialisée dans les analyses d'enfants. Une lesbienne d'acier pour servir la Cause, très bon choix, compte tenu des tempêtes entre les premiers psys et le Père fondateur. On ne doit pas oublier l'étrange cérémonie où Freud donne à chaque participant du premier Cercle un *anneau*. Singulier mariage pluriel, lourd d'orages futurs.

Freud ne veut pas qu'on considère sa découverte comme une invention juive, comme la rumeur s'en répand très vite. Il élit donc un fils symbolique, un non-juif, Jung. Ce sera un désastre, avec l'abandon de la théorie sexuelle et la marée noire de l'occultisme. Son biographe, en revanche, est anglais, Ernest Jones. Voilà un type sérieux, mais étroit. Regardez maintenant les premiers conjurés de Vienne : Abraham, Rank, Adler, Ferenczi, Jung et les autres. Dans chaque cas, un roman. Vous ajoutez Lou Andreas-Salomé, qui apporte Nietzsche en cadeau (encore un roman), et la princesse Bonaparte (cadeau de l'urne grecque pour les cendres de Freud enterré à Londres, encore un roman). Haine de Staline, haine de Hitler, fiasco dans les pays anglo-saxons, triomphe du cinéma, élection d'un président des États-Unis, grossier milliardaire défenseur de l'extrême droite israélienne, bref, pour Freud, la grâce ultime : la réussite secrète dans l'échec absolu.

NÉANT

Le vieux pape jésuite argentin, François, ne respire que d'un seul poumon. Il a déclaré dans un avion, à des journalistes, qu'il faisait un boulot impossible, « un métier de fou ». Il est debout à 5 heures du matin, enchaîne messe sur messe, mange à peine, reçoit, parle, et se couche épuisé à 10 heures du soir. Les jours de fêtes, évidemment, c'est l'enfer. Son prédécesseur démissionnaire, Benoît XVI, a fini par craquer. Ces deux derniers papes (les derniers) ont pu mesurer l'hostilité sourde et perverse de la Curie romaine, infectée par l'inlassable Démon.

Un homme de 80 ans, c'est calculable, a vécu 42 millions de minutes, 700 800 heures, et son cœur a battu 43 milliards et 200 millions de fois. Ce n'est pas mal, et il peut encore faire usage. Doute-t-il de sa religion ? C'est probable, mais il continue à brandir l'hostie avec conviction. Lacan pensait-il que la psychanalyse était foutue ? Beaucoup de ses messages le prouvent, comme son acharnement à peloter des brins de ficelles pour en arriver à un nœud central. La dernière flèche empoisonnée de Freud aura été pour Moïse. Mais, sans Moïse, pas de Jésus, et, sans Jésus, c'est l'abîme.

J'ose l'avouer : je vis chaque minute comme une préparation à être savouré par le néant. Il m'attend, il salive, je suis sa proie préférée, je lui dois tout, même si rien n'est tout. Aucun désespoir, le soleil brille, et voici le soir charmant, ami du criminel. Pas de four créma- toire, mon squelette a le droit de penser. Pas non plus de suicide, sauf cas de douleur extrême. Pas de prélève- ments d'organes, ma pourriture doit se mélanger à mes os. Je tiens à ce qu'on puisse retrouver mon ADN, ne serait-ce que pour réfuter des grossesses imaginaires. Comme je n'ai tué personne, il est exclu qu'on vienne me déranger.

Freud s'est fait euthanasier avec l'accord de sa fille. Il n'en pouvait plus. Tout indique qu'il a quitté sans regret l'océan de la connerie humaine, transformée aujourd'hui en télé-irréalité. Kafka, au comble de la souffrance, dit à son médecin : « Si vous ne me tuez pas, vous êtes un assassin. » La plupart des humains préfèrent la souffrance au néant. En revanche, des clandestins, pour ne pas parler sous la torture, se sont supprimés. Saluons-les.

J'aime bien les documentaires criminels qui montrent le néant à l'œuvre. Les tueurs en série se distinguent, surtout les découpeurs en morceaux des cadavres de leurs victimes. C'est un gros travail et un art, à la scie, qui réclame une virtuosité de boucher. Les découpées sont souvent des femmes légères, avides de rencontres, et plus si affinités. Un des découpeurs a disséminé ses sacs-poubelle de viande humaine comme un parcours touristique et humoristique. Vous retrouvez un sac sur le pont *Hachette*, un autre près d'une rivière appelée *La Haine*. Voilà de l'humour vraiment noir, médité, prémédité, orchestré. Jack l'Éventreur, à côté, fait figure d'amateur pressé. Le dépeceur poète n'a toujours pas été arrêté.

L'Église catholique a fini par s'alarmer de la complainte de ses fidèles mâles. Elle a donc organisé des cours de *masculinisation* pour ces hommes fragiles. Elle compte ainsi revaloriser le rôle du Père, figure décriée, niée, humiliée, depuis des années. Des stages ont lieu entre hommes, pour transformer les géniteurs en pères. Ce n'est pas commode, les réseaux féministes sont indignés, les bigotes du dimanche renâclent. Il faut dire que les revendications masculines sont parfois déstabilisantes, comme celle qui trouve les cantiques chantés pendant la messe « trop sucrés ». Les mâles catholiques se sentent émasculés à longueur de temps, leur féminisation répondant à un désir occidental général qui choque les croyants islamistes. Bien entendu, il ne s'agit pas de refabriquer des machos, et l'un des représentants des stages de « virilité retrouvée » assure qu'il n'est pas là pour alimenter la guerre des sexes. Il a l'air de penser que cette guerre n'existe pas, alors qu'elle dure depuis des millénaires. Que le mâle occidental soit en train de la perdre est une évidence pour tout observateur sérieux. Le Saint-Père en est ahuri dans sa robe blanche.

Par un juste retour des choses, dans la nouvelle morale, la misogynie est remplacée par la *misandrie*. Tout individu qui s'est fait remarquer par ses agissements ou ses propos vivement hétérosexuels sera donc passible d'une émasculation pénale. Ce programme a d'ailleurs été proposé par un écrivain récent contre un autre écrivain licencieux. Interrogé à ce sujet, l'écrivain dénonciateur a dit que l'idée de cette émasculation lui avait été suggérée par une lectrice « traumatisée » par la misogynie de l'écrivain coupable. La réalité plongeant désormais dans le virtuel, il sera bon de néantiser la bibliothèque. On commencera par l'expurger et la censurer, pour la classer ensuite dans un nouvel Index, c'est-à-dire un nouvel Enfer. C'est de là qu'elle ressurgira, un jour, dans une lumière éclatante.

ROME

Staline meurt à Moscou le 5 mars 1953. Le « Petit Père des peuples » est vite momifié, puis démomifié à cause de ses crimes. Lénine reste le seul cadavre autorisé dans le mausolée de la place Rouge. Aujourd'hui encore, 400 personnes s'occupent sans cesse de sa bonne mine pour les visiteurs. Cette même année 1953, le 26 septembre, quelqu'un prononce à Rome un discours mémorable dans l'histoire agitée de la psychanalyse, c'est Lacan, probablement inspiré par le Vatican.

Lacan a parlé une fois des « toutes spéciales réserves » que les communistes avaient contre la psychanalyse. Il aurait dû en dire plus. Ces « toutes spéciales réserves » m'intriguent. Il faut croire qu'elles sont allées beaucoup plus loin que la vieillerie religieuse ou le rejet nazi. En passant, 1953 marque aussi la fin de la guerre de Corée et la découverte de l'ADN. Le grand roman d'aujourd'hui, qui aurait passionné Sherlock Freud, s'appelle *ADN, ADN, ADN*. Aucune identité cachée ne lui résiste, aucun crime, aucune falsification de

paternité. Quelle soudaine lumière sur l'humanité
ténébreuse !

Freud a découvert l'Italie assez tard, après avoir
perdu son match procréateur avec son père Jacob.
Jacob a eu 12 enfants de deux femmes différentes, Sigmund seulement 6 enfants avec la même femme. C'est
honorable, mais le père, Jacob, s'est montré plus puissant. Fatigué par son exploit génital, Sigmund file vers
le sud. Le plus étonnant est qu'il va voyager de plus
en plus en Italie avec sa belle-sœur qu'il présente dans
les hôtels comme sa femme. Cette belle-sœur, Minna,
sœur de sa femme Martha (plutôt jolie), va rester
étrangement célibataire. Dans le style voyage en Italie
avec une belle-sœur, Freud a un précurseur sulfureux
qu'il ignore : Sade.

Tout de suite, pour Sigmund, c'est l'enchantement.
À Venise, en 1895, il vit un « conte de fées dont aucune
photographie ni aucun récit ne saurait rendre compte ».
C'est un « tourbillon », où deux jours sont devenus
six mois. Il voit des choses « incroyables ». Il n'est ni
fatigué ni sérieux, il s'amuse comme un écolier en
vacances. L'Italie est magique et d'une « harmonie
grandiose ». Il est à Padoue, à Bologne, à Florence,
et commence même à être dépassé et écrasé par une
« volupté constante ». Dans une église, il observe plusieurs centaines des plus jolies filles du Frioul pour une
messe d'un jour de fête : « La splendeur de l'ancienne

basilique romaine m'a fait du bien au milieu de l'indigence de l'ère moderne. »

Minna, sa belle-sœur, écrit de lui : « Il a une mine insolemment splendide, et il est gai comme un pinson. Évidemment, il ne tient pas en place. » Freud gai comme un pinson ! Dans l'indigence de l'ère moderne ! Le lac de Garde est « d'une beauté paradisiaque ». Entrée à Rome en septembre 1901 : « C'est incroyable que nous ne soyons pas venus ici pendant des années. » Il écrit ceci, qui est surprenant mais vrai : « Aujourd'hui, au Vatican, nous avons vu de nouveau les plus belles choses, que l'on quitte comme transporté. » Freud anticipe : le pape de 1903 ne sera autre qu'un saint, Pie X, qui rénove la musique sacrée et condamne le modernisme dans un décret au titre épatant : *Lamentabili*. Qui aurait misé un euro sur Pie X, à l'époque ? Personne.

À Naples, Freud fume, boit, mange, il a trop chaud, il se baigne. Bientôt, il est à Sorrente, et prend un café « à l'ombre des arbres, entouré d'oranges jaunes et vertes, de grappes de raisins, de palmiers, de pins, de noyers, de figuiers sauvages, de citronniers ». En Sicile, Palerme est « un lieu de délices inouïs ». Et encore : « La splendeur et le parfum des fleurs dans les parcs font oublier que l'on est en automne. » Et le revoici à Rome : « Les femmes dans la foule sont très belles dans la mesure où elles ne sont pas étrangères. Les Romaines, bizarrement, sont belles même quand elles sont laides, et, en fait, il y en a peu qui le soient parmi elles. »

Freud est un Sudiste inspiré : le Nord est décidément une erreur, et il dira plus tard : « J'ai toujours dit que l'Amérique n'est bonne qu'à procurer de l'argent. » Il croyait apporter la peste aux États-Unis : erreur, c'est la psychanalyse qui a attrapé la peste. De la passion de Freud pour Rome et l'Italie, on retiendra cette preuve de sa merveilleuse et naïve pudeur devant le tableau de Titien *L'Amour sacré et l'Amour profane* (une femme richement habillée, et une autre, ou la même, nue) : « Le nom qu'on a donné à ce tableau n'a aucun sens, et on ne sait d'ailleurs quel sens lui donner. Il suffit qu'il soit très beau. » Le sens, cher docteur, est pourtant très clair : une femme peut être à la fois habillée et nue, comme l'Amour lui-même.

TERRIENS

L'hostilité envers la psychanalyse est *normale*, mais elle prend parfois des dimensions bizarres. Le clergé intellectuel, surtout philosophique, fait encore, quoique désagrégé, des crises de nerfs à ce sujet. Prenez Toupet, par exemple. C'est un brave garçon, qui ne perd pas une occasion de rappeler que son père était ouvrier agricole. Il a conçu très tôt une vive aversion contre des enseignants curés catholiques. Cette aversion obsédante l'a conduit à détester Freud et à vomir Sade. Freud, surtout, est un imposteur et un charlatan bourgeois. Rien d'intéressant n'a pu se passer à Vienne. Le seul grand philosophe est Proudhon, ce penseur anarchiste de la misère, lâchement attaqué par Karl Marx. Du coup, les magazines le célèbrent et lui consacrent des pages entières avec photos au milieu de publicités croûteuses. Ô Province ! Je ne sais plus d'où vient ce gigantesque Toupet. De l'Orne ou de l'Yonne, je crois, à moins que ce ne soit de la Somme. Il n'a jamais vu l'océan, c'est clair.

Ce Toupet n'est pas seul à critiquer l'insurrection de mai 1968 en France, et ce qu'il appelle, avec d'autres, les « soixante-huitards ». Selon lui, ces élites énervées ont trahi le peuple et foncé dans tous les mensonges du temps pour prendre le pouvoir comme promoteurs de l'hyper-capitalisme libéral. Il n'a pas tort : le poison distillé par l'infâme Mao ne pouvait déboucher que sur cette trahison radicale. Curieusement, pourtant, c'est Freud qui l'indigne. Au fond, la folie marxiste a disparu, mais l'angoisse sexuelle persiste, et ce n'est pas la pression islamiste qui va l'apaiser. Après tout, pourquoi pas la pureté de l'islam plutôt que le très vicieux catholicisme ? Le raisonnement se tient.

Toupet a mis un certain temps à découvrir le plus grand écrivain français vivant internationalement célèbre : Michel Houellebecq, lui aussi un vrai Terrien de la carte et du territoire, spécialiste de science-fiction et visionnaire de la misère sexuelle généralisée. Toupet le compare à Rimbaud comme « voyant », et lui attribue des qualités chamaniques prophétiques. Certes, il est nihiliste, et disciple de Schopenhauer et d'Auguste Comte, ce qui devrait gêner le nietzschéisme revendiqué de Toupet. Mais voilà, Nietzsche n'est plus du tout à la mode, et passe même, de plus en plus, pour un misogyne antisémite et fasciste. Nietzsche « populaire » ? Vous voulez rire. Comme la réalité est nihiliste, Houellebecq lui tend son miroir, voilà tout.

Toupet a raison d'accrocher son wagon au train de Houellebecq, lui-même célébré à longueur de temps par les mêmes magazines publicitaires (ça risque de ne pas durer éternellement). Mais c'est en lisant une biographie de Houellebecq qu'on apprend le grand secret de la frigorification de la mère française :

« Lorsque j'étais bébé, ma mère ne m'a pas suffisamment bercé, caressé, cajolé, elle n'a simplement pas été suffisamment tendre, c'est tout, et ça explique le reste, l'intégralité de ma personnalité à peu près, ses zones les plus douloureuses en tout cas. Aujourd'hui encore, lorsqu'une femme refuse de me toucher, de me caresser, j'en éprouve une souffrance atroce, intolérable, c'est un déchirement, un effondrement, c'est si effrayant que j'ai toujours préféré, plutôt que de prendre le risque, renoncer à toute tentative de séduction. La douleur à ces moments est si violente que je ne peux même pas correctement la décrire, elle dépasse toutes les douleurs morales et la quasi-totalité des douleurs physiques que j'ai pu connaître par ailleurs, j'ai l'impression à ces moments de mourir, d'être anéanti, vraiment. Le phénomène est simple, rien ne me paraît plus simple à expliquer et à interpréter, je crois aussi que c'est un mal inguérissable. J'ai essayé. La psychanalyse s'est depuis toujours déclarée impuissante à lutter contre des pathologies aussi bien ancrées, mais j'ai un temps placé quelque espoir dans le *rebirth*, le cri primal. Ça n'a rien donné. Je le sais maintenant : jusqu'à ma mort, je resterai un tout petit enfant abandonné, hurlant de peur et de froid, affamé de caresses. »

Cette lecture vient de me mettre les larmes aux yeux. Je tente le coup sur Nora, qui n'a pas l'air autrement émue. Je lui demande si la psychanalyse pourrait guérir, ou du moins atténuer, une aussi lourde souffrance, autrement dit si, à un moment ou à un autre, au cours d'une séance, elle pourrait se lever et aller toucher et caresser la joue de Houellebecq. Dans le transfert, elle serait devenue sa mère. Elle sourit gentiment, et change de sujet.

La mère française, frigorifiée après la Deuxième Guerre mondiale, a engendré beaucoup de filles frigorifiées, qui, elles-mêmes, poursuivent le travail d'une frigorification globale. Houellebecq, paraît-il, a eu beaucoup recours aux massages thaïlandais, mais être client ne s'obtient pas par la séduction. Il est vrai qu'avec le temps il a obtenu une drôle de gueule, mais j'ai des amies qui ne le trouvent pas si mal, et même « mignon ». Quand une femme dit « mignon » au sujet d'un homme, l'avenir consolateur est ouvert. Aucune femme ne me trouve « mignon ».

INCESTE

Nora a vite compris que j'avais été un bébé bercé, caressé, cajolé par sa mère, et pas seulement par sa mère, mais aussi par la sœur de sa mère, et, tout simplement, par une de ses sœurs. Une couleur franchement incestueuse coule dans tout ce que j'écris, ce qui, dans un cadre d'enfance idyllique, me vaut une très mauvaise réputation de la part des coincés de tous bords. L'inceste, désiré et voulu, est une élection singulière, mais une malédiction sociale. Toute trace écrite *positive* à ce sujet est sévèrement ressentie. Nora aime bien l'élection, ça l'arrange, la malédiction la laisse indifférente, elle connaît trop bien la mécanique des refoulements divers.

Je suis donc son bébé, son père et son frère. Elle est à l'aise dans les trois fonctions, surtout dans celle de sœur. C'est aussi une mère très tendre, et une fille qui adore contester ce que j'ai dit, pour me donner raison plus tard. Elle trouve que Freud et Lacan n'ont pas été convaincants côté mère, fille et sœur, mais tiennent bien le coup côté père. C'est même, au fond, ce qu'on leur reproche. Les garçons se sentent dépossédés, les filles veulent s'émanciper. Rien de nouveau sous le soleil de la *routine*, dans laquelle Dieu et le Diable ont perdu leur prestige ancien, pour devenir de simples régisseurs. Une éclaircie par-ci, un trou noir criminel par-là, et voilà.

La lumière incestueuse multiplie les clairières. C'est un parc, une anse, une terrasse, un garage, une cave, un rebord, un fleuve, une autre présence dans la présence. Des centaines de postures *naturelles* se jouent : tes gestes sont mes gestes, tes mots mes mots. Rappelle-toi ce matin de neige, à Vienne, où tout était si tranquille et si beau. Ou ce soir doré, à Venise, après le succès de ta conférence sur Shakespeare. Ou encore cette marche silencieuse à New York, où tu étais venue voir des membres de ta famille. Ça ne s'était pas bien passé, mais tu n'avais pas envie d'en parler.

Je reviens sur le mystère de la mère française et son effondrement historique. Prenez-la au 18e siècle : c'est une paysanne délurée, une aristocrate souvent perverse, une bourgeoise qui a envie de se libérer. Elle est vive, piquante, déliée, mutine, drôle, effrontée, bien dans sa peau (sa très jolie peau). Aucun doute : elle est potentiellement incestueuse, et beaucoup de mâles pourraient en témoigner. Ce petit garçon est charmant, pourquoi ne pas l'initier ? Il plane sur l'inceste un parfum royal, comme le prouve l'accusation du tribunal révolutionnaire contre Marie-Antoinette. Ça vient de loin, peut-être des Pharaons. Les paysannes françaises sont très expertes, les aristocrates ne le sont pas moins, les bourgeoises sont retardataires. Les aristocrates sont marquises, duchesses, comtesses, elles s'appellent Merteuil ou Madame de Saint-Ange, elles ont de l'esprit, elles éduquent, elles civilisent. Elles n'ont pas leur pareil, dans toute l'Europe, du côté *poignet*.

Au 19e siècle, cette mère féerique change. Elle grossit, se renferme, a des vapeurs, s'appelle Bovary, a un mari absurde, des amants peu sérieux, elle devient ennuyeuse ou bigote. Quelques peintres et poètes ne sont pas d'accord, ils protestent, ils font scandale. Arrive la boucherie de 1914 : la mère française est veuve, elle décide de prendre l'air et de faire la fête. Elle va engendrer des garçons doués pour la subversion, mais, après le coup de massue de 1940, elle se range, redevient barbante, se transforme en mégère ou en militante, ne caresse plus ses bébés, trouve l'inceste horrifiant, et transmet à ses filles une solide détestation des hommes. Petite secousse en 1968, mais la platitude et la régression l'emportent. Bref, la névrose est là, la dépression monte. Elle se réfugie dans l'argent et engendre des garçons sans joie.

Maman, mon amour, mon enfant, ma sœur, j'ai retrouvé ton charme et ta peau au moins trois fois dans ma vie mortelle. C'est inespéré, et je continue à croire qu'il y a des dieux ou des déesses pour ce genre d'exploit. Je me demande si je peux le dire à Nora. C'est quand même grâce à moi qu'elle est devenue pleinement *française*. J'ai même rencontré une Française qui a reconnu, par mes soins, qu'elle l'était fondamentalement sans le savoir. Voilà ma modeste contribution nationale, qui, selon moi, fût-ce de façon posthume, mérite une décoration spéciale. Comment l'appeler? Totem? Tabou?

CRIMES

Vous avez de multiples raisons de vous sentir coupable, mais, si vous en manquiez, la société saurait rapidement vous les fournir. Regardez-vous une bonne fois dans la glace. Votre air mesuré ne laisse pas soupçonner l'assassin que vous êtes. Car vous êtes un assassin, ne dites pas le contraire. Aucun crime ne vous laisse indifférent, une part de vous y participe. Votre pulsion de mort, que vous contenez à grand-peine, est la plus pulsionnelle des pulsions. Vous pourriez tirer au hasard sur une foule, vous n'avez besoin d'aucun motif pour ça. Vous êtes un déséquilibré potentiel, comme tout le monde.

D'où votre intérêt prononcé pour les faits-divers et leurs documents sinistres. Vous entrez comme chez vous dans les secrets techniques de la police scientifique, enquêtes, prélèvements, déchiffrage des téléphones, balistique, autopsies, rien ne vous est épargné. Ces impacts de balles (de quelle marque?) sont impressionnants. Ce crâne, ce cou, ce thorax sont dessinés sous vos yeux, ce cadavre pourrait être le vôtre. L'arme du crime n'a pas été retrouvée. Les suspects sont mis hors de cause. L'enquête, brillamment commencée, piétine. Malgré le désespoir des familles, on s'achemine vers un non-lieu. Pourtant, un rebondissement, des années plus tard, est toujours possible.

S'agit-il d'un crime passionnel? A-t-il été commandité pour une vengeance? Ou bien l'argent, comme d'habitude, va-t-il éclairer l'affaire? Les témoins sont flous et contradictoires, ils ont peur. Les caméras de surveillance étaient mal orientées. Les portraits-robots ne disent rien à personne. Un petit délinquant psychiatrique s'accuse du meurtre, il voulait une réputation, il ne l'aura pas. Travail de fourmi, dossiers massifs. On tient enfin un coupable : il se suicide en prison, on ne le verra pas aux assises.

Vous êtes le criminel en vadrouille, vous êtes le gendarme et le procureur. Vous répugnez à être le médecin légiste, et le psychiatre vous fait rire. Vous êtes l'avocat de toutes les parties civiles qui n'ont aucun mal à démontrer les incohérences policières. Pourquoi avoir conclu aussi vite au suicide, alors que l'assassinat était flagrant? Des milliers de cas non élucidés s'entassent Quai des Orfèvres, des tueurs en série sont en liberté. Que pouvait cacher ce médecin de province, abattu froidement devant sa porte, dans un quartier sans histoires? Et cette jeune femme tout ce qu'il y a de plus lisse?

Même si vous ne croyez pas au péché originel, ni au Diable, « homicide dès le commencement du monde », vous sentez qu'il y a, dans les tréfonds, quelque chose de puissant et d'obscur. C'est votre côté Dostoïevski, votre moment Stavroguine. Un pas de plus, et vous devenez sacré dans l'horreur, pour vous seul, sans doute, mais c'est le soleil noir de la gloire. Qui tue un être humain tue l'humanité tout entière. À voir ce qu'elle est devenue, c'est parfois tentant.

N'importe quel crime est possible : cette vieille femme se traîne, pourquoi ne pas la soulager d'exister ? Ces enfants sont ravissants, pourquoi ne pas éterniser leur sourire ? Ce bourgeois est un vieux salaud, personne ne le regrettera. Cette fille énervée fera une jolie morte, elle parlait trop, la voilà fixée. Ce clochard ne demandait qu'à mourir, on l'exauce. Cette famille de touristes cherchait un endroit pittoresque, elle l'a trouvé sur un parking d'autoroute. Les romans sont le plus souvent ennuyeux, les faits-divers criminels jamais. La réalité dépasse de loin la fiction en vertige. Les criminels n'écrivent pas, ils agissent. Cet écrivain se plaint de la vie ? On lui épargne ce souci. Ce philosophe pérore sur la Décadence ? Vous lui prouvez la Renaissance, d'une rafale de Kalachnikov.

Ce trans-humanisme criminel peut paraître étrange. Mais, à l'heure de la « post-vérité », rien ne saurait surprendre. Le vrai est un moment du faux, lequel est lui-même le moment d'un autre faux. Deux expertises minutieuses peuvent donner des résultats différents. Dans les exhumations, on ne découvre plus grand-chose : un crâne sans mâchoire redouble son silence. Le trans-humain privilégié bénéficie du suicide assisté, son cocktail terminal est en cours de préparation en Suisse. Si vous voulez vous évader, les portes et les fenêtres sont ouvertes. Pas besoin de théâtre, la disparition est à votre portée. La mort, a osé proclamer la Révolution française, est un sommeil éternel. Robespierre a vite compris le danger réactionnaire de cette atmosphère de cimetière. Il a décrété aussi sec que la mort était le commencement de l'immortalité.

RELIGION

Les grands criminels de masse de la Révolution française sont connus : Fouché à Lyon, Carrier à Nantes, Tallien à Bordeaux. Le plus sanguinaire a été Fouché, le plus cupide Tallien (au point de dégoûter sa femme espagnole), le plus original, Carrier, avec ses « mariages républicains pour tous », hommes et femmes ligotés ensemble, et expédiés dans la Loire par des barges à fond ouvrant. La foule raffolait de ces spectacles, comme de celui de la guillotine, cette Veuve insatiable.

Les massacres de septembre 1792 ont été une apothéose. Mais les Girondins ont trouvé ça franchement exagéré. Cette réticence va d'ailleurs leur coûter la vie. Robespierre prend sur lui les exécutions pour en décharger la conscience du peuple. Les criminels de masse se sentent en danger. L'Incorruptible, en effet, instaure la nouvelle religion nationale, celle de l'Être Suprême, à travers des fêtes grandioses organisées par le peintre David. Robespierre grand prêtre ? Nouveau pape ? Le complot contre lui ne se fait pas attendre. Il est arrêté et exécuté, en même temps que le très mystérieux Saint-Just. La corruption a gagné, elle n'est pas près de s'éteindre.

Remplacer une religion par une autre est un travail titanesque, extrêmement délicat. Ça peut durer très longtemps, avec des retours en arrière. Le christianisme avait des siècles à son actif, beaucoup de destructions et des conflits dramatiques, mais aussi des réalisations splendides, à commencer par Notre-Dame de Paris. L'Être Suprême était une idée astucieuse, mais froide, qui n'a pas tenu le coup, sauf la nuit. Le christianisme est revenu comme chez lui, dans un emballage de plus en plus souple. Le bébé de cire de Noël sourit toujours dans sa crèche.

Une société a-t-elle besoin d'une religion ? On le dit, mais un Chinois n'en est pas sûr, et un milliardaire panaméen s'en tape. Quelques philosophes, dont c'est la marotte, et, parfois, la psychose, vous vendent la fin de la civilisation chrétienne vouée à la mort. Remplacée par l'islam ? Certains le murmurent, et ce n'est pas drôle. Freud, toujours strict, parlait de l'avenir d'une illusion. Allumons un cierge pour l'anniversaire de la science des rêves. Quant à l'individu de l'avenir, s'il a une croyance, elle sera le résultat mathématique de ses expériences sensibles. J'abats mon équation : Père, Fils, Saint-Esprit, sans oublier la Vierge Marie. C'est mon Centre post-catholique de tri.

Un enfant, où qu'il se trouve, est spontanément religieux. Pour lui, tout est immédiat, chiffré, animé, magique. La Nature est un temple où de vivants piliers lui parlent et l'observent avec des regards familiers. Les échos se confondent dans une profonde unité, les parfums, les couleurs et les sons se répondent. Il se souvient d'une vie antérieure, où il habitait sous de vastes portiques, que les soleils marins teignaient de mille feux. C'est là qu'il respirait, qu'il respire encore. Ce petit bois de bambous est une église, cette cabane une basilique, cette ouverture vers l'océan une trouée d'espoir. Le voilà en train de ramener une rose *réelle* d'un de ses rêves. Il est très surpris, au réveil, qu'elle ne soit pas là.

Il pressent, il devine, il anime. C'est un excellent metteur en scène de situations. Il devient un opéra fabuleux, un reporter incessant de son existence, une émission d'ondes ininterrompue. Cet enfant, à ce point tournant de l'Histoire, est un mutant, un trans-humain précoce. Sa mère est fraîche, veloutée, drôle. Ses sœurs sont jolies, piquantes et très insolentes. La sœur de sa mère, en cachette, le caresse exactement comme il faut. Il s'amusera, plus tard, à écrire des phrases de ce genre : « Sa mère était fraîche, veloutée, drôle. » Certaines femmes apprécieront un jour qu'il soit drôle, velouté, frais.

Cela fait-il une religion ? Non, s'il s'agit de chanter ou de prier en chœur dans l'abrutissement général.

Oui, s'il s'agit, par un chant constant silencieux et une prière intime, de surmonter la terreur et la mort. Cet enfant sera impossible à intimider, à canaliser, à encadrer, à mater. Si vous lui demandez s'il croit en Dieu, il vous répondra « bien sûr », mais refusera de vous expliquer comment et pourquoi. Il a la foi, c'est certain, mais laquelle ? Il sèche l'école, traîne dans les rues, lit tout et n'importe quoi, adore monter sur les toits. Il plaira à des femmes très folles ou très sages, mais sera détesté par celles qu'on dit normales. S'il rencontre des vicieuses, il étudiera leur noirceur.

BIG-BANG

Allongé sur mon lit, en fin d'après-midi, je suis de
nouveau dans le tourbillon d'annulation immédiate.
Le centre vient de partout, tourne autour de lui-même,
pointe vers un zéro que je n'atteindrai jamais. C'est
moi qui suis nul, ou pas assez nul, j'en ai conscience.
Je comprends pourquoi le rude Lacan parlait du
« désêtre ». Dans ce désert agité, le « parl'être » n'est
plus que bribes et balbutiements, et un mot en appelle
aussitôt un autre qui n'a aucun rapport avec lui. C'est
la séance des rires sans raisons, un bordel de vide.

Je pense à l'extrême solitude de Freud, de Lacan, de
Nora, à la bouleversante solitude de Dieu lui-même.
Vous êtes à Jérusalem, à Vienne, à Londres, à Paris.
Quelqu'un parle et quelqu'un écoute. Le personnage
qui écoute, *d'une certaine façon,* se tait ou intervient brièvement. Ce dispositif est d'une simplicité radicale, et il
est décisif que le parleur et l'écouteur ne puissent pas
se voir pendant la séance. Voilà une autopsie sonore, la
chance, enfin, d'un vrai silence. Les rebondissements

sont imprévus, apparemment décousus, mais non, il y a un fil, on est dans un labyrinthe. Vous le tenez, ce fil? Attention, attention.

Qu'est-ce qui s'est *voulu* à travers la psychanalyse? Avant tout, le démasquage de l'hystérie, c'est-à-dire de la nature humaine la plus profonde. On pourrait en tirer un roman génial invendable : *Voyage au bout de l'ennui*. Le plus étonnant est que Nora, dit-elle, ne s'ennuie jamais. Chaque cas l'intéresse, l'aveuglement humain la passionne, la bêtise elle-même la ravit. Bref, elle aime les gens, et me reproche souvent de ne pas les aimer. C'est vrai, je vais trop vite, je vois, à travers eux, la façon dont ils sont prisonniers de leurs corps. Ils n'en sortiraient pas, ni par l'art ni par le sport. On dirait, sauf exceptions, qu'ils sont naufragés de naissance. Nora n'est pas d'accord. Selon elle, il y a toujours un espoir, un peu de vérité, peut-être.

Dante, Michel-Ange, Shakespeare, Bach, Mozart, et bien d'autres, sont absolument *sortis* de leurs corps, leurs œuvres sont là, mais leur souvenir s'est perdu. Comment ont-ils fait pour exister jour après jour, respirer, parler, marcher, manger, boire, jouir, dormir? Comment étaient les mains de Shakespeare, le sexe de Bach, celui de Mozart? Les yeux de Dante nous manquent, les doigts de Michel-Ange sont paralysés dans le temps. Ils n'ont pas été filmés, donc on n'est pas sûr de leur existence. Je ne suis pas obligé de croire à l'exactitude de ces portraits ou de ces photographies pour l'époque moderne. Dante paraît le plus réel (avec le jeune Rimbaud), l'image de Shakespeare est fadasse, Baudelaire, avec son cigare, détonne dans le concert, Hugo, face à l'océan, est un bipède un peu ridicule, Proust est méconnaissable sauf sur son lit de mort, Céline est parfaitement invisible en clochard. Tout ce papier rempli pour rien avant la grande époque glaciaire ! Quelques érudits travaillent encore au Centre d'Archives Nucléaires. On les entend parfois dans les médias, sans résultat.

Pourtant, la découverte qui avance à bas bruit (et qui a été annoncée par Freud) est que le passé est désormais l'avenir. Pas le passé linéaire, raconté par les historiens ou l'école, mais un passé explosif dont on commence à peine à déchiffrer l'ADN. Le 21e siècle, dans un présent génétique omniprésent, est déjà une *cure* de désintoxication sévère, qui mettra en relief toutes les singularités des siècles passés, de la préhistoire à nos jours. Que de surprises nous attendent ! Quelle formidable nouvelle Encyclopédie !

La meilleure amie de Nora, Florence, est astrophysicienne. On déjeune de temps en temps avec elle. C'est une jolie blonde passionnante de 46 ans qui vit dans le cosmos en cartographiant des amas de galaxies. Elle est née, comme vous et moi, il y a 15 milliards d'années, avec le Big-Bang et l'Univers dont l'expansion s'accélère. Vous voulez savoir quel temps avait lieu à ce moment-là ? Essayez donc d'imaginer ce que représente (respirez à fond) un milliardième de milliardième de milliardième de milliardième de seconde. Ça va? Pas trop essoufflé? Voilà : avec Florence vous vous situez d'emblée dans des régions extra-galactiques, pour étudier « le grand Attracteur » qui déplace la Voie lactée et Andromède à la vitesse de 630 km par seconde. Ne pas oublier le Répulseur qui module l'ensemble. J'attendais votre question idiote : qu'y avait-il *avant* le Big-Bang? Le sourire désolé de Florence vous répond : je peux vous dire ce qui s'est passé une seconde *après* (protons et neutrons), mais pas *avant* l'explosion. Il n'y a pas d'*avant* dans la naissance simultanée de l'espace et du temps. Tout cela, n'est-ce pas, est fait pour être oublié très vite.

REBONDS

Si le mouvement des galaxies dépend à la fois d'une attraction gravitationnelle et d'une répulsion, le vide compte autant que le plein dans la mobilité de la Voie lactée. Ce n'est pas tout : si les constituants ultimes de la matière sont de minuscules filaments en état de vibration, le Big-Bang pourrait être plutôt un Big-Bounce, c'est-à-dire un Grand Rebond précédant l'explosion. Ces filaments vibrants feraient de l'Univers un clavecin cosmique. C'est la théorie des cordes : je me pince en l'entendant.

Je roule donc au néant en musique. Que la théorie des cordes m'évoque un concert amuse beaucoup Florence, qui pense, depuis longtemps, que je suis un peu cinglé. La musique des filaments lui est aussi étrangère que celle des sphères. Dieu n'existe pas, et, s'il existait, il ne serait pas musicien. Mais qui sait ? Dieu, en tout cas, n'explose pas, il *rebondit*. C'est son côté romancier enfoui. Y a-t-il une intrigue plus extravagante que celle des régions extra-galactiques ? Nora, comme d'habitude, défend Freud, en affirmant que *Cinq psycha-nalyses* est un roman de génie. C'est bien mon avis.

Florence, comme Nora, est dans le désir de savoir sans cesse tenu en éveil. J'ai le mien, sur des questions, sans lien apparent entre elles, qui rebondissent souvent les unes sur les autres. Exemples : que faisait Caravage, à Malte, dormant tout habillé, un poignard à la main? À quoi pensait Marlowe, le soir de sa rixe fatale dans une taverne de Londres? Qui était exactement cette « Rachel », prostituée à Arles, à qui Van Gogh est allé offrir une partie de son oreille, tranchée par lui, en lui demandant de la conserver en mémoire de lui?

En quoi consistait précisément le « Consolamentum » cathare, foi étrange qui a conduit ses membres à se jeter, sans plaintes, dans un grand bûcher construit par les Croisés? Qui étaient ces étranges « Parfaits » du 13ᵉ siècle, peut-être en possession du Graal? Pourquoi les Chinois s'intéressent-ils autant, aujourd'hui, à l'Arctique et à l'Antarctique, en établissant des cartes qui sont pour nous, Occidentaux, le monde à l'envers? Qu'est-ce qu'un fleuve qui coulerait vers sa source, et un arbre (Dante l'a vu) dont les racines seraient dans le ciel, et le feuillage sur terre? Que serait un centre qui engloberait le cercle dont il est le centre (autre vision de Dante)?
Florence a envie de savoir d'où nous venons, Nora ce qui nous empêche d'être libre et moi que faire de mon imagination. Pour l'instant, je compose trois haïkus :

là-haut sur le toit
une tache de soleil
fraîcheur du soir.

je marche lentement
dans le couloir sombre
la chambre est là-bas.

la mouette contre le vent
résiste et pique
éclair du poisson.

Andromède est notre constellation boréale, abri-
tant l'objet céleste le plus éloigné visible à l'œil nu,
la galaxie M31, distante, pour nous, de 2,2 millions
d'années-lumière. Pas question de Freud dans cette
dimension, sauf en rêve. Nora pense que Florence est
un peu folle, mais pas autant que moi, qui suis, selon
elle, hors concours. Moralité : la très sérieuse analyste
Nora Bernstein, de stricte observance, célèbre dans le
monde entier pour ses travaux sur la schizophrénie, est
amoureuse d'un fou. Ses collègues, très vaguement au
courant, le lui reprochent de façon jalouse (surtout ses
collègues femmes). Elle s'en fout.

Agacé par le fait que son fameux *Dasein* soit toujours
traduit par « existence » ou par « être-là », Heidegger a
décidé d'enfoncer le clou, en proposant, pour le français, « être-le-là ». Il a su qu'il serait plutôt compris,
un jour ou l'autre, en français, et Lacan est celui qui
l'a le mieux entendu (en manquant, malgré tout, le

là comme note de musique). L'« être-le-là » se passe très bien de moi, comme de tous ceux qui croient être là alors qu'ils ne sont pas là. Heidegger, comme en passant, dit une fois : « Le *Dasein* choisit ses héros. » Évidemment, il n'est pas question d'en faire des listes. Un « héros », dans ce sens, est une histoire unique, silencieuse, tenace, physique, mentale, dont vous pouvez très bien ne jamais avoir entendu parler. C'est un saint spécial, pas du tout religieux, mais qu'on peut deviner en acte. En voici un : le joueur de tennis suisse Roger Federer, après sa huitième victoire sur gazon, à Wimbledon. « Le temps ne semble pas avoir de prise sur lui », a dit un spécialiste. Alors que tout le monde le croyait fini, il prouve à nouveau sa supériorité avec une calme virtuosité, au filet et le long des lignes. C'est un héros du *rebond*.

Freud est venu, il a écouté, il a vu, il a compris et il a écrit. Je ne peux pas voir sans émotion la couverture de la première édition de *Die Traumdeutung*, datée de 1900. Plus d'un siècle après, tout continue comme si rien n'avait été dit. Les analystes dorment et l'humanité fonce dans son cinéma de mensonge. Regardez l'actrice qui vient d'obtenir un César ou un Oscar : un vrai fantôme à sourires. Les spectateurs, debout, applaudissent, et, tout de suite, l'ennui s'alourdit.

Lacan, de plus en plus, s'ennuyait à mourir, d'où les séances ultra-courtes, les ronds de ficelles indémêlables (le Réel, le Symbolique, l'Imaginaire), et les crises de rage. En un sens, comme Freud, il est mort d'ennui. Toujours les mêmes fariboles ! Toujours la même misère ! Freud était un juif stoïque, Lacan un catholique furibard. Mes deux amies sont des humanistes : Florence croit fermement au progrès scientifique, et Nora pense que, chez tout être humain, il y a quelque chose à sauver. Elles sont plutôt gaies, et se demandent pourquoi je ne suis pas triste.

Côté social, vous connaissez le film : l'apocalypse nous menace, le fascisme frappe à la porte, il faut absolument se dresser contre lui, et ne parler que de lui. Des manifestations ont lieu, elles dégénèrent, les casseurs sont là et brisent les vitrines des commerçants. Des flots populistes déferlent sur la planète, ce qui n'empêche pas la publicité de proliférer. Le paradoxe est là : beaucoup d'agitation, et une inertie de plus en plus lourde. Nora ouvre et ferme sa porte, allonge un patient ou une patiente, se met en flottaison auditive, et subit la rengaine des plaintes. La psychopathologie de la vie quotidienne est sa montre. Rien ne l'use, rien ne la choque. La théorie, comme la chimie, est cruelle et douce. Elle est vraie.

L'Internationale Psychanalytique (IPA) a été fondée en 1910. Elle existe toujours et, comme toutes les institutions, fonctionne au ralenti, comme système de protection de ses membres. Lacan a tenté un coup de force, qui a eu son heure de gloire, mais il a été obligé de dissoudre son « École freudienne », quand il s'est aperçu qu'il était de plus en plus seul dans son truc. Exclu de l'IPA, il a fini par s'exclure lui-même, et avec raison. C'était un pirate de haute volée, et ceux qui l'ont connu insistent tous et toutes sur ses interprétations foudroyantes. Une plaque a été apposée sur le lieu où il opérait, au 5 rue de Lille, dans le septième arrondissement de Paris. Ses Séminaires du mardi, à midi, à l'École normale supérieure, puis à la Faculté de Droit, en face du Panthéon (« le vide-poches d'en face », disait-il de façon canaille), étaient bondés d'une foule jeune et bigarrée qui enregistrait ses discours. Tout cela est loin, les témoins sont presque tous morts, ou très fatigués. N'empêche : un frisson nouveau a couru à Paris à l'époque.

À l'ère du Spectacle mondialisé, la « post-vérité » s'impose. D'ailleurs, tout est devenu « post ». Post-moderne, post-sexuel, post-religieux, post-politique, post-climatique. Un « post » et une « post » n'ont plus grand-chose à se dire, et restent penchés sur leurs smartphones, en contact constant avec d'autres « post ». Les « post-ovocytes » sont sur le marché, de même que les « post-spermatozoïdes » qui se font de plus en plus rares. Le « post-utérus » est en cours. Ainsi va le « post », déjà dépassé, dans la cyber-guerre, par l'« hyper-post ». Plus de postérité, plus de posthume, rien que des postures postiches sans avenir.

Le narco-trafic, par des voies tortueuses, a réussi à faire mettre en vente libre le cannabis dans les pharmacies de l'Uruguay. Un jeune correspondant de Montevideo, au nom prédestiné de Ducasse, m'écrit que, grâce à cette mesure salutaire, la poésie va pouvoir devenir un fleuve majestueux et fertile. Je partage son optimisme. Que vienne ce nouveau Nil ! Il laissera loin derrière lui les débris d'un splendide naufrage. Ce sera la fin lamentable du « post ».

En tant que post-humain, je ne me débrouille pas si mal. Évidemment, les anciens humains continuent de se reproduire et encombrent le paysage, mais ils n'y croient plus, ils pressentent l'orage dévastateur. Je me faufile, j'avance masqué, j'ai gardé, pour me renseigner, une apparence humaine. Je suis son garde du corps, ou plutôt son ange gardien. Je vis à ses côtés, invisible. Un ange ne parle pas, il prévient.

ÂGE D'OR

Freud commence par une première trinité, Inconscient-Préconscient-Conscient, et en pose bientôt une autre, Ça-Surmoi-Moi. Le Ça est une poubelle de pulsions, le Surmoi est féroce, le Moi est fragile. Le Surmoi joue le rôle d'un accusateur permanent, pendant que le Ça n'est que trop adhérent du Diable. Le Moi est accablé (d'autant plus que la température sociale est glaciale), et a besoin d'un avocat. Dans le vieux monde, on l'appelait le Paraclet (le Saint-Esprit). Dans le continent Post, ce seront les médocs ou la drogue.

« Là où c'était, je dois advenir. » Magnifique formule, mais je dois me tirer seul d'affaire en me prenant par les cheveux pour me sortir du bourbier. En ai-je la force ? Pas sûr. Si vous êtes coincé, vous tombez sur le divan de Nora. Ou bien vous trouvez l'amour, qui n'est pas prévu au programme.

J'ai mis longtemps à comprendre que j'étais un des premiers Occidentaux à être carrément chinois. Le tao, le yin-yang, le livre des mutations me tendaient les bras dès l'enfance. Ce garçon singulier passe d'un extrême à l'autre en suivant sa voie. Il n'a jamais admis, par la suite, les classifications et les hiérarchies qui lui étaient proposées, à commencer par la supériorité supposée du *Yang* sur le *Yin*, c'est-à-dire du masculin sur le féminin, vieux truc féodal relayé par le conformisme des rites, sous l'autorité de Confucius (en réalité beaucoup plus marrant qu'on ne croit). Le yin-yang en mouvement, spirale hélicoïdale, ne doit surtout pas s'interpréter comme sado-masochisme. C'est une *liaison de raison* qui n'a rien à voir avec la raison des philosophes. Ce n'est pas non plus une Sagesse, mais un art des transformations.

Un cycle prend fin, un autre commence. Là où c'était, j'étais déjà autre, sans forcément en avoir conscience. Depuis que j'ai commencé cette phrase, je suis déjà très loin d'elle. Il pleuvait, le soleil est là.

Mes romans sont des liaisons de raisonnements. J'entends des voix, je les transcris, ma voix est mêlée à elles. Mon étonnant étudiant de Montevideo m'envoie une belle lettre émouvante :

« Je remplace la mélancolie par le courage, le doute par la certitude, le désespoir par l'espoir, la méchanceté par le bien, les plaintes par le devoir, le scepticisme par la foi, les sophismes par la froideur du calme, et l'orgueil par la modestie. »

Bien dit. Il n'aura aucun succès, mais tant pis.

En juin 1872, à Paris, Rimbaud a 18 ans, et il est en pleine forme. Il écrit un très étrange poème, « Âge d'or », qui, à mon avis, n'a toujours pas été lu. Voici ce qu'il dit :

« Quelqu'une des voix
Toujours angélique
– Il s'agit de moi, –
Vertement s'explique :

Ces mille questions
Qui se ramifient
N'amènent, au fond,
Qu'ivresse et folie ;

Reconnais ce tour
Si gai, si facile :
Ce n'est qu'onde, flore,
Et c'est ta famille !
(...)

Je chante aussi, moi :
Multiples sœurs ! Voix
Pas du tout publiques !
Environnez-moi
De gloire pudique... etc... »

Je suis un ange, et j'entends ma voix qui me parle *vertement*, en me reprochant de me perdre dans des questions inutiles et toxiques, au lieu de reconnaître, par un tour gai et facile, ma vraie famille d'onde et de flore. Mes multiples sœurs chantent avec moi dans une intimité érotique, et, comme elles m'environnent d'une gloire pudique, vous croyez me voir et vous ne me voyez pas. Le mot le plus important, ici, précédé et suivi de points de suspension, est *etc.*... Ça pourrait continuer indéfiniment comme ça.

LATIN

Je continue, j'écoute les voix de mes multiples sœurs, le fil de mon existence se déroule et s'enroule, le passé se joue au futur, le présent est toujours central.

Il est étrange de lire, sur la couverture de la première publication de *Die Traumdeutung*, un vers latin tiré de l'*Énéide* de Virgile :
« Flectere si nequeo Superos, Acheronta movebo. »
Ce qui signifie : « Si je ne peux pas fléchir ceux d'en haut, je mettrai en mouvement les Enfers. »
Qui prononce ces paroles de colère et de vengeance ?
Junon, femme de Jupiter et déesse du Mariage. Elle est très remontée contre les infidélités répétées de son divin époux (comme Héra, en grec, par rapport à Zeus).

Freud en Junon ! Voilà où mènent la cocaïne et l'enfer des rêves. Il prend le parti d'Amalia, sa mère, contre Jacob, son père biblique. Il ne peut pas être poète comme Virgile (et encore moins comme Dante), mais il a les clés du monde souterrain. Ce cri est une déclaration de triomphe, qui angoisse encore tous les damnés de la névrose et de la psychose. L'Achéron est un fleuve qui les emporte, mais le navire Freud le remonte à contre-courant. Les mères sont infernales, et Junon la reine des hystériques. Freud, spéléologue hors pair, connaît sa Junon.

J'ai été très heureux en latin, je le suis encore. Je préfère le grec et Homère, mais enfin, mon nom d'écrivain est latin. Virgile m'ennuie souvent, Dante jamais, Rimbaud pas une minute. J'étais très bon, au lycée, en récitation latine (la classe frissonnait en m'écoutant faire vibrer Lucrèce, « Alma Venus, cœli subter labentia signa... »). Je récite un peu de latin pour amuser Nora, qui me félicite d'avoir débusqué Junon dans la fière devise révolutionnaire de Freud.

Dieu sait ce qu'il avait en tête, Freud, en voulant mouvementer les Enfers, comme s'ils n'étaient pas en mouvement permanent. On l'imagine aujourd'hui, rêvant d'arrêter cette marée noire pour rejoindre ses désirs d'Italie et le miracle romain. Difficile de voir Nora plus heureuse qu'en Toscane. À peine est-elle là-bas, qu'elle *fleurit*.

Dieu est italien, aucun doute. Le Père flotte dans les cieux, bercé par de légers nuages, Le Fils est un architecte exceptionnel, dont les mains façonnent sans arrêt le marbre et la pierre. Le Saint-Esprit est partout, tantôt éclatant, tantôt sombre. On le respire, c'est un poumon de soleil. Ajoutez à cela la présence gracieuse et silencieuse de Marie, et vous obtenez la plus belle musique évidente de la planète.

Le latin a avalé les dieux grecs, et les a restitués comme des formes. Virgile vous prévient : « Noctes atque dies patet atri janua Ditis... », « Jour et nuit est ouverte la sombre porte des dieux, mais rebrousser chemin et s'évader à l'air libre, voilà l'œuvre, voilà le travail ». « Dieu est inconscient », dit Lacan. Peut-être, mais quelle virtuosité dans le visible et l'audible ! C'est au français qu'il appartient de continuer la trame. Est-il immortel, comme le latin et le grec ? Seul un avenir très lointain répondra.

En 368 de notre ère, un certain Symmaque, un des derniers aristocrates romains, très hostile au nouveau culte chrétien, décrit ainsi la Gaule, qui deviendra peu à peu la France :

« Le ciel et la terre sont également horribles, dans un pays d'épais brouillards, de froid toujours rigoureux, parmi des ennemis féroces, sur un vaste théâtre de désolation. » Voilà de la propagande d'occupation, et on voit que cet honorable patricien n'est jamais venu à Burdigala, c'est-à-dire à Bordeaux.

BÉATITUDE

Sautons quelques siècles, et nous tombons, près de Bordeaux, sur un fou en train de recopier des citations latines et d'en peinturlurer les poutres de ce qu'il appelle sa « librairie ». Il s'est retiré dans la tour de son château pour échapper à la guerre civile entre protestants et catholiques. On s'égorge sous ses fenêtres, mais rien à faire : il ne croit qu'à lui-même, au latin et au grec.

D'où sort-il, celui-là ? Il est vrai que la région est superbe, mais une telle bibliothèque ne s'invente pas en un jour. Il ira vérifier, plus tard, que les livres latins et grecs sont bien conservés chez le pape, à Rome, à l'abri de l'ignorance et du fanatisme ambiants. La mort règne ? Mais philosopher, dit-il, c'est apprendre à mourir. La méthode ? Avoir tous les sens en éveil :
« Qui nisi sunt veri, ratio quoque falsa sit omnis. »
Là nous sommes avec le révolutionnaire Lucrèce, au chant XX de son *De natura rerum* :
« Si nos sens ne sont pas véridiques, tout notre raisonnement doit être aussi faux. »

Rien que le nom de Lucrèce, glissé au milieu de sentences « convenables » de Virgile ou de Cicéron, aurait dû valoir à l'auteur l'inculpation d'hérésie. Mais non, on le laisse tranquille, il devient un penseur incontournable, sa renommée dure jusqu'à nous, en attendant que quelqu'un d'autre se dévoue, en se choisissant, lui et lui seul, dans la nouvelle dévastation obscure. « La Providence fait quelquefois reparaître des hommes à travers plusieurs siècles. » Cette phrase de Balzac, dans une de ses lettres, figure en exergue d'un long poème en latin, intitulé « Jugurtha ». Il a été écrit, le 2 juin 1869, par un collégien de 15 ans, du nom d'Arthur Rimbaud.

Les admirateurs de Rimbaud qui n'ont pas fait de latin dans leur jeunesse me font rire. Ce collégien est un virtuose, qu'il s'agisse pour lui de prolonger Horace et de se faire couronner de laurier par Apollon, ou de célébrer le combat de Hercule et du fleuve Acheloüs, sans oublier le « Jésus à Nazareth » daté du 15 avril 1870. Trois ans plus tard, ce sera *Une saison en enfer* :
   « N'eus-je pas *une fois* une jeunesse héroïque, fabuleuse, à écrire sur des feuilles d'or, – trop de chance ! »

Encore un siècle, et tout a changé. On a perdu le latin dans la recomposition mondiale mais il ressurgira un jour, protégé par sa force interne. Et revoici l'impassible Spinoza : « Omnia præclara tam difficilia, quam rara sunt. » « Tout ce qui est remarquable est difficile autant que rare. » Ce matin, un jeune mathématicien lit ça à Pékin, et se met à lire toute l'*Éthique* dans sa version originale. Même découverte éblouie pour un astronome, un chimiste, un informaticien, un médecin, lesquels voudraient tous comprendre comment Dieu s'aime lui-même d'un amour intellectuel infini. Le mot « Béatitude » a-t-il encore un sens ? Spinoza l'emploie, en tout cas, et on se souvient que cela lui a valu des haines féroces. Bienheureux Baruch Spinoza ! N'oublions pas sa devise marquée sur son sceau : CAUTE, « Méfie-toi ».

MUTATION

L'Église luthérienne évangélique de Suède (à laquelle appartiennent 60 % de Suédois) a une nouvelle conception de la béatitude et de la béatification. Le message de Jésus, dit-elle, est fondamentalement *queer*. Ce mot est intraduisible, mais il est utilisé d'un bout à l'autre de la planète, et désigne une sexualité enfin libérée du fardeau hétérosexuel, d'où le grand nombre d'homosexuels trouvant refuge dans cette religion d'amour. Voici une pasteur (faut-il écrire *pasteure*?) qui vient de se marier, légalement et religieusement, avec une autre pasteur femme. Elles ont déjà trois enfants, mais ont été obligées d'aller se faire inséminer au Danemark, les listes d'attente pour la Procréation Médicalement Assistée étant surchargées pour la Suède. C'est l'embouteillage, les femmes se bousculent devant l'entrée, d'autant plus que les donneurs mâles commencent à manquer.

Luther penserait peut-être aujourd'hui la même chose que le pape : c'était bien la peine de créer une religion prétendument réformée. Et que penserait Freud ? De loin, je le vois hocher la tête, il n'a plus que ça à faire depuis très longtemps. Ces nouvelles mères *pasteurisées* l'épatent. Elles sont d'ailleurs charmantes, conviviales, heureuses, totalement immergées dans le Bien. Quoi qu'il arrive, Jésus nous aime, nos enfants sont des anges, et ils seront, tous et toutes, pasteurs. L'illusion chrétienne, passée au désinfectant en Suède, a de beaux jours devant elle.

En 1908, dans *La morale sexuelle civilisée et la maladie nerveuse des temps modernes,* Freud se livre à de nouvelles provocations insupportables. Il a déjà refroidi l'atmosphère avec sa folle théorie de la sexualité infantile, mais, là, il prétend qu'un artiste abstinent perdrait sa créativité, alors qu'un jeune savant abstinent n'est pas rare. Mais écoutez cette monstruosité :

« L'infériorité intellectuelle de tant de femmes, qui est une réalité indiscutable, doit être attribuée à l'inhibition de la pensée, inhibition requise pour la répression sexuelle. »

Freud veut seulement souligner à quel point la morale sexuelle civilisée, surtout dans l'éducation des filles, est de la démence. Il est le premier à le dire, et c'est capital.

Abstinents ou pas, drogués ou pas, les artistes contemporains sont dans un drôle d'état, et les femmes pasteurs suédoises ont un côté gentiment débile. Il arrive quand même à de plus en plus de femmes de *penser,* mais la plupart sont plutôt là pour calculer, administrer, réguler, diriger, digérer. Le Bien correspond à leurs intérêts, ou à celui de leurs groupes financiers. Elles gèrent de préférence les secteurs spectaculaires et culturels, mais leur compétence s'étend visiblement à tous les domaines. Rien ne les freine plus sous leurs doigts savants, qui transforment tout en argent. Rien ne prouve qu'elles ne soient pas encore requises pour la répression sexuelle.

La dette est colossale, le chômage explose, les attentats crépitent, les prisons sont pleines, les banques règnent, les lobbys médiatiques sont déchaînés, le climat est détraqué, l'hystérie, et sa voix saccadée, est à son comble, mais l'eau coule toujours sous les ponts, les arbres fleurissent, et, comme d'habitude, ma complicité est totale avec les oiseaux. Apocalypse ? Non, mutation et transmutation.

Le cercle s'élargit, le centre s'approfondit, avec, comme conséquence, une commotion intense des dates.

La réalité me rattrape, le désir m'emporte. La réalité est une passion triste, le désir un réel joyeux.

Je quitte peu à peu le cercle, je dépasse la noria des images et des gestes, je rejoins le Centre. Et là, d'un coup, le monde nouveau se déploie.

Œuvres de Philippe Sollers (suite)

L'ÉCOLE DU MYSTÈRE, *roman*, 2015 (Folio n° 6282).

MOUVEMENT, *roman*, 2016 (Folio n° 6457).

COMPLOTS, *essai*, 2016.

BEAUTÉ, *roman*, 2017.

LETTRES À DOMINIQUE ROLIN 1958-1980, édition établie, présentée et annotée par Frans De Haes, 2017.

Dans les collections L'Art et l'Écrivain ; Livres d'art ; Monographies

RODIN. Dessins érotiques, 1987, réédition 2017.

LES SURPRISES DE FRAGONARD, 1987, réédition 2015.

LE PARADIS DE CÉZANNE, 1995.

LES PASSIONS DE FRANCIS BACON, 1996.

Dans la collection À voix haute (CD audio)

LA PAROLE DE RIMBAUD, 1999.

Aux Éditions Flammarion

PORTRAITS DE FEMMES, *roman*, 2013 (Folio n° 5842).

LITTÉRATURE ET POLITIQUE, *essai*, 2014.

DICTIONNAIRE AMOUREUX DE VENISE, version illustrée, en coédition avec les Éditions Plon, 2014.

Aux Éditions Fayard

Avec Julia Kristeva, DU MARIAGE CONSIDÉRÉ COMME UN DES BEAUX-ARTS, 2015.

Aux Éditions du Seuil

UNE CURIEUSE SOLITUDE, *roman*, 1958 (Points-romans n° 185).

LE PARC, *roman*, 1961 (Points-romans n° 28).

L'INTERMÉDIAIRE, *essai*, 1963.

DRAME, *roman*, 1965 (L'Imaginaire n° 227).

NOMBRES, *roman*, 1968 (L'Imaginaire n° 425).

LOGIQUES, *essai*, 1968.

L'ÉCRITURE ET L'EXPÉRIENCE DES LIMITES, *essai*, 1968 (Points n° 24).

SUR LE MATÉRIALISME, *essai*, 1971.

LOIS, *roman*, 1972 (L'Imaginaire n° 431).

H, *roman*, 1973 (L'Imaginaire n° 441).

PARADIS, *roman*, 1981 (Points-romans n° 690).

L'ANNÉE DU TIGRE, *journal*, 1999 (Points n° 705).

L'AMITIÉ DE ROLAND BARTHES, 2015.

Aux Éditions Plon

CARNET DE NUIT, *essai*, 1989 (Folio n° 4462).

LE CAVALIER DU LOUVRE. Vivant Denon (1747-1825), *essai*, 1995 (Folio n° 2938).

CASANOVA L'ADMIRABLE, *essai*, 1998 (Folio n° 3318).

MYSTÉRIEUX MOZART, *essai*, 2001 (Folio n° 3845).

DICTIONNAIRE AMOUREUX DE VENISE, 2004.

UN VRAI ROMAN. Mémoires, 2007 (Folio n° 4874).

Aux Éditions Grasset

VISION À NEW YORK, *entretiens avec David Hayman* (Figures, 1981; Médiations/Denoël; Folio n° 3133).

CONTRE-ATTAQUE, *entretiens avec Franck Nouchi*, 2016.

Aux Éditions Lattès

VENISE ÉTERNELLE, 1993.

Aux Éditions Desclée De Brouwer

LA DIVINE COMÉDIE, *entretiens avec Benoît Chantre*, 2000 (Folio n° 3747).

VERS LE PARADIS. Dante au Collège des Bernardins, *essai*, 2010.

Aux Éditions Carnets Nord

GUERRES SECRÈTES, 2007 (Folio n° 4995).

Aux Éditions Écriture

CÉLINE, 2009.

Aux Éditions Robert Laffont

ILLUMINATIONS, *essai*, 2003 (Folio n° 4189).

Aux Éditions Calmann-Lévy

VOIR ÉCRIRE, *entretiens avec Christian de Portzamparc*, 2003 (Folio n° 4293).

Aux Éditions Verdier

LE SAINT-ÂNE, *essai*, 2004.

Aux Éditions Hermann

FLEURS. Le grand roman de l'érotisme floral, 2006.

Au Cherche Midi Éditeur

L'ÉVANGILE DE NIETZSCHE, *entretiens avec Vincent Roy*, 2006 (Folio n° 4804).
GRAND BEAU TEMPS, 2009.

Aux Éditions de La Différence

DE KOONING, VITE, *essai*, 1988.

Aux Éditions Cercle d'Art

PICASSO LE HÉROS, *essai*, 1996.

Aux Éditions Mille et Une Nuits

UN AMOUR AMÉRICAIN, *nouvelle*, 1999.

Aux Éditions 1900

PHOTOS LICENCIEUSES DE LA BELLE ÉPOQUE, 1987.

Aux Éditions Stock

L'ŒIL DE PROUST. Les dessins de Marcel Proust, 2000.

Préfaces

Paul Morand, NEW YORK, *GF Flammarion.*

Madame de Sévigné, LETTRES, *Éditions Scala.*

FEMMES MYTHOLOGIES, en collaboration avec Erich Lessing, *Imprimerie Nationale.*

D.A.F. de Sade, ANNE-PROSPÈRE DE LAUNAY. « L'AMOUR DE SADE », *Gallimard.*

Mirabeau, LE RIDEAU LEVÉ OU L'ÉDUCATION DE LAURE, *Jean-Claude Gawsewitch Éditeur.*

Willy Ronis, NUES, *Terre Bleue.*

Louis-Ferdinand Céline, LETTRES À LA N.R.F., *Gallimard* (Folio n° 5256).

Composition PCA/CMB.
Achevé d'imprimer
sur Roto-Page
par l'Imprimerie Floch
à Mayenne, le 18 avril 2018.
Dépôt légal : avril 2018.
1ᵉʳ dépôt légal : février 2018.
Numéro d'imprimeur : 92644.

ISBN 978-2-07-274521-8 / Imprimé en France.

339049